TIAGO EUGENIO

AULA EM JOGO

Descomplicando a **gamificação** para educadores

editora évora.

Publisher
Henrique José Branco Brazão Farinha
Editora
Cláudia Elissa Rondelli Ramos
Preparação de texto
Cláudia Elissa Rondelli Ramos
Revisão
Gabriele Fernandes
Renata da Silva Xavier
Projeto gráfico e diagramação
Vanúcia Santos
Capa
Rubens Lima
Impressão

Rua Sergipe, 401 – Cj. 1.310 – Consolação
São Paulo – SP – CEP 01243-906
Telefone: (11) 3562-7814/3562-7815
Site: http://www.evora.com.br
E-mail: contato@editoraevora.com.br

Dados Internacionais de Catalogação na Publicação (CIP) de acordo com ISBD
Elaborado por Vagner Rodolfo da Silva - CRB-8/9410

E87a Eugenio, Tiago
Aula em jogo: descomplicando a gamificação para educadores / Tiago Eugenio.
- São Paulo, SP : Évora, 2020.
280 p. ; 16cm x 23cm.

Inclui bibliografia.
ISBN: 978-65-88199-03-9

1. Educação. 2. Games. 3. Gamificação. 4. Educadores. I. Título.

2019-2293 CDD 370
CDU 37

Índice para catálogo sistemático:
1. Educação 370
2. Educação 37

DEDICATÓRIA

Para meus queridos professores
da Escola Estadual Rubens Pietraroia.

A curiosidade, o que é diferente e sobressai
no entorno, acende a emoção. E, com ela, com
a emoção, abrem-se as janelas da atenção,
foco necessário para a construção
do conhecimento.

FRANCISCO MORA

AGRADECIMENTOS

À Catiane Dantas Eugenio, minha amada esposa, que almoçou e jantou diversas vezes sozinha enquanto eu escrevia e revisava este livro. Aos mineiros Elmer Nancher e Wandeluce Ferreira, que me ajudaram a programar os *templates* do Class Dash. À Cristiana Mattos Assumpção, um exemplo de liderança, professora e coordenadora, por me contratar e abrir inúmeras oportunidades para que eu participasse de projetos e por me persuadir a criar e testar diversas hipóteses de aprendizagem. Ao Luiz Fernando Pillz, amigo e mentor na área de negócios, que me mostrou o poder do empreendedorismo para transformar a vida das pessoas. À Ana Lúcia Hennemann, amiga, sócia do Click Neurons e parceira de criação, uma conexão que nasceu a distância e perdurará mais próxima e presente por toda minha vida. A Marcio Ribeiro Cruz e José Airton Cardoso, amigos e sócios da Escape Factory, que estão agora na linha de frente da realização e da gestão de um dos propósitos de vida que apresento neste livro. À Inez Cozzo, minha amiga e mentora, uma pessoa especial que me ensinou muito sobre criar experiências de aprendizagem. À Marly Machado Campos, professora de física que me ajudou a rodar diversos projetos de gamificação, especialmente o MOVAR, relatado nesta obra. A Marta Rabello, Maria Lucia Soares, Thais Bianco e Cristiana Mattos, professoras e criadoras do BandForense, projeto de que pude participar como professor e por meio do qual implementei uma série de mecânicas e elementos de jogos nas aulas. À Lyle French, por sua generosidade em compartilhar tantos saberes comigo enquanto trabalhava ao seu lado como assistente. Ao Henrique Farinha, o *publisher* mais desenrolado e eficiente que conheci. À Cláudia Rondelli, editora deste livro, que sempre se mostrou disponível para novos ajustes e fez uma revisão criteriosa dos conteúdos apresentados por mim. À Catiane Dantas Eugenio, mais uma vez, meu esteio e minha força.

SUMÁRIO

INTRODUÇÃO

CLIFT, CLOFT, STILL, **a porta se abriu!**

O bordão dito por um ser mecânico sinalizava que o visitante havia seguido as instruções ou adivinhado a senha do dia: pular em um pé só, imitar estátuas famosas, falar palavras começando com a letra b ou citar derivados do leite. Ao menos, na minha memória, o porteiro do *Castelo Rá-Tim-Bum*[1] foi o primeiro personagem que vi utilizando na prática o conceito que abordo ao longo deste livro: a gamificação.

Na minha infância, o programa era uma porta de acesso a um universo mágico, recheado de personagens, histórias e conflitos que não existiam no meu mundo real. Eu vibrava quando o Mau, uma criatura roxa, corria pelos encanamentos do castelo e, dentro de sua toca, me desafiava a repetir trava-línguas. No lustre do Castelo, as fadinhas Lara e Lana me deixavam curioso com os inúmeros enigmas que apresentavam.

Depois de quase trinta anos, ainda me lembro do quão rico e educativo era o *Castelo Rá-Tim-Bum*. Mas jamais imaginava o poder

1. *Castelo Rá-Tim-Bum* é uma série de televisão infantojuvenil produzida e exibida pela TV Cultura entre 1994 e 1997. A criação é de Cao Hamburger e Flávio de Souza.

de influência que seus quadros exerceriam sobre a minha vida como professor. Sempre apostei no lúdico, no inimaginável e no uso de regras e desafios para transformar uma experiência de aprendizagem em algo mais envolvente e motivador. Esse foi um dos mais importantes aprendizados extraídos das centenas de horas investidas no acompanhamento das aventuras de Nino, Zequinha, Pedro e Biba.[2]

Muitas aulas gamificadas que crio são baseadas em memórias da minha infância: dos programas educativos da TV Cultura aos programas de plateia do SBT apresentados por Silvio Santos. Quem não se lembra do programa *Tentação*?[3] Ali existiam regras interessantes, e os participantes eram testados com perguntas de conhecimento geral. Ainda nesse quesito, o programa *Show do Milhão* ia mais longe. No entanto, o que guardo mesmo na memória e utilizo em minhas gamificações são as ajudas que cada participante e candidato poderiam obter para ganhar 1 milhão de reais, por exemplo: o acesso aos universitários, as placas numeradas da plateia, as cartas de baralho que permitiam o candidato eliminar respostas incorretas e, claro, os pulos.

Em Lençóis Paulista, no interior de São Paulo, a brincadeira na rua era uma atividade na qual me envolvia bastante e, a partir dela, aprendi muito sobre jogos; diria que tanto a rua como a TV foram importantes para criar o meu repertório básico e primário de gamificação. É óbvio que na época eu nem imaginava que tudo aquilo que vivenciava era, de fato, gamificação. Para mim, não passava de uma brincadeira ingênua ou um passatempo. Hoje, o cenário é bastante diferente porque o repertório adquirido naquele período virou minha principal ferramenta e estratégia de ensino.

2. Personagens que visitavam praticamente todos os dias o Castelo.

3. Programa de televisão apresentado por Silvio Santos feito em parceria entre o SBT e o Baú da Felicidade. Disponível em: <https://www.sbt.com.br/variedades/sbt-na-web/fiquepordentro/109185-lembra-do-tentacao-volte-ao-passado-com-esse-tbt-incrivel>. Acesso em: 27 fev. 2020.

Em 2007, no último ano da licenciatura em ciências biológicas, tive a oportunidade de perceber e experimentar o poder dos elementos dos jogos na educação. Na ocasião, a professora de Didática de Ensino de Ciências, doutora Lúcia Maria Paleari, organizava uma exposição chamada Experimentando Ciência, em que os licenciandos desenvolviam um projeto de divulgação científica e, em seguida, preparavam para mostrá-lo, didaticamente, a toda a comunidade na forma de instalações. O Experimentando Ciência era temido por muitos estudantes devido ao alto nível de exigência da professora Lúcia, mas lembro muito bem de que minha turma de graduação gostou do desafio e entrou de cabeça no projeto.

Na minha vida, considero que já existiram vários "Clift, cloft, still, a porta se abriu!", mas, definitivamente, no que diz respeito à aplicação da gamificação como estratégia de ensino, o Experimentando Ciência foi o primeiro. Explico. Foram meses de trabalho desenvolvendo uma chave digital de identificação de artrópodes. No início, não fazia ideia de como realizaria o projeto, mas estava decidido de que queria modificar a experiência de aprendizagem com uma chave de identificação de animais. Pensei em utilizar um painel magnético, tiras de papel, montar um jogo de cartas, mas as aplicações interativas que via nos CD-ROMs da época chamavam muito a minha atenção.

Comecei a trilhar o caminho da tecnologia querendo entender como se fazia aquelas imagens em movimento, as passagens de tela e a exploração do conteúdo de forma bonita, organizada e interativa. A curiosidade e o desejo de dominar a ferramenta me conduziram à descoberta do Macromedia Flash – um *software* de criação de animações interativas. No Flash, comecei a manipular telas e a sequência de conteúdo que poderia expor aos usuários.

Não foi nada fácil aprender a lógica do programa, mas com muita garra e persistência desenvolvi uma chave de identificação do filo dos artrópodes totalmente digital. Mais do que isso, havia criado a minha primeira experiência gamificada como professor. Antes de interagir com o computador, os alunos observavam uma coleção de exemplares identificados apenas por um número e escolhiam um de seu interesse. Em seguida, encaminhavam-se, com os exemplares em mãos, para o computador, a fim de identificar o animal.[4]

No computador, o aluno interagia com a chave de identificação digital encontrando, primeiro, o *layout* de escolha de exemplar com 22 botões numerados – cada botão correspondia a um único exemplar da coleção. Ao fazer a escolha, o aluno tinha a missão de descobrir se o animal de seu interesse era um aracnídeo, crustáceo, myriapoda ou inseto. Para isso, era exigido que o estudante soubesse, por exemplo, quantos pares de perna o animal possuía, como era o design corporal; se existiam antenas, quelíceras etc. Conforme o aluno ia escolhendo suas opções, os *layouts* da chave mudavam. Mas, e se ele, porventura, errasse, isto é, escolhesse uma opção da chave errada? Não importava que erro fosse cometido, os *layouts* continuavam mudando normalmente. Porém, ao fazer pelo menos uma escolha incorreta, o aluno estava fadado a encontrar uma mensagem de erro, na qual, clicando em "voltar", tinha o acesso novamente ao *layout* de escolha de exemplar.

Dessa forma, o aluno não sabia onde se encontrava o erro – necessitava saber todas as características para identificar devidamente o animal. Acreditei que essa seria a forma mais adequada de se reproduzir o método científico. Além disso, com essa regra,

4. Confira a apresentação do projeto em um vídeo gravado pela profa. dra. Lúcia Maria Palcari. Disponível em: <https://youtu.be/vkjnNy7ERmU>. Acesso em: 27 fev. 2020.

diminuía as chances de a identificação ser feita exclusivamente por tentativa e erro – o que não seria condizente com a minha proposta, que era a de fazer o aluno observar minuciosamente o exemplar de seu interesse e diagnosticar suas peculiaridades. Por outro lado, se o estudante escolhesse corretamente todas as opções da chave, teria acesso a uma recompensa – um vídeo que lhe oferecia informações sobre os aspectos biológicos e ecológicos do grupo ao qual o seu exemplar de interesse pertencia.

A atividade com a chave de identificação digital no Experimentando Ciência foi um grande sucesso, mas não fiquei satisfeito apenas com a empolgação dos estudantes. Em 2009, no estado do Rio Grande do Norte, enquanto fazia mestrado e já atuava como professor de ensino fundamental em Parnamirim, repliquei o projeto e coletei dados, buscando testar o efeito da ferramenta desenvolvida e da experiência sobre a percepção e a aprendizagem dos alunos. Os resultados da pesquisa mostraram que os alunos que interagiram com a chave de identificação digital tiveram um desempenho melhor do que os alunos que assistiram a uma aula tradicional, sugerindo um impacto positivo da ferramenta no processo de ensino e aprendizagem. As maiores diferenças constatadas foram em questões que requeriam habilidades cognitivas, além da memória, como: comparar e diferenciar os grupos de artrópodes, detectar erros e elaborar critérios próprios para a montagem de uma chave de identificação.

Essas primeiras constatações foram feitas e publicadas sem mencionar qualquer coisa relacionada à gamificação e ao jogo, tanto que o foco do artigo que publiquei em 2012 era o uso da tecnologia como recurso didático em sala de aula, contextualizado a partir da abordagem de aprendizagem situada que considera a cognição um produto da interação entre o nosso cérebro, o nosso corpo e o nosso ambiente, mediada pela percepção e ação.[5]

Na primeira vez que submeti o artigo à revista, considerei a chave dicotômica como um jogo digital, tanto que a minha primeira sugestão de título era: "Utilização de um jogo digital para identificação de artrópodes: avaliação de estudantes do Ensino Fundamental"; mas um dos revisores recomendou mudar o nome para ferramenta multimídia. De fato, há quase dez anos, a ideia de jogo em sala de aula era muito mais associada ao puro lazer e à simples diversão. Os especialistas da área não enxergavam ainda o jogo digital, muito menos sua linguagem, como um recurso poderoso de aprendizagem. E a gamificação? Ela estava dando os primeiros passos e sua aplicação era mais restrita ao marketing e aos negócios – pelo menos aqui no Brasil. Nos Estados Unidos, o conceito já era uma realidade na educação e estava repercutindo significativamente na organização de currículos e escolas.

Em 2012, aconteceu o meu segundo "clift, cloft, still, a porta se abriu!" quando conheci a Quest to Learn (Q2L), uma escola pública nova-iorquina que trabalha com alunos do Ensino Fundamental II e Ensino Médio. Fundada em 2009, após anos de planejamento curricular, a Q2L ganhou destaque internacional pelo seu pioneirismo no uso da gamificação para estruturar o currículo escolar.[6] No curso de pequena duração de que participei em Manhattan, fui impactado pela forma como eles enxergavam o professor a partir de seis dimensões de desenvolvimento.[7]

5. EUGENIO, Tiago José Benedito. *Utilização de uma ferramenta multimídia para identificação de artrópodes: avaliação de estudantes do Ensino Fundamental*. Bauru, v. 18, n. 3, p. 543-557, 2012. Disponível em: <https://doi.org/10.1590/S1516-73132012000300004>. Acesso em: 27 fev. 2020.

6. Conheça mais sobre a Quest to Learn. Site oficial da escola: <https://www.q2l.org/>. Acesso em: 27 fev. 2020.

7. Palestra ministrada por Katie Salen no WISE 2013 Focus. No vídeo, Salen nos conta como a escola Quest to Learn foi inspirada nos jogos e como utilizou sua linguagem para criar uma experiência de aprendizagem inovadora para seus alunos. Disponível em: <https://youtu.be/BYHnPwY88w8>. Acesso em: 27 fev. 2020.

Na Q2L o professor é sempre considerado um DESIGNER que implementa e revisa materiais gamificados em conjunto com *game designers*. Além disso, o professor é um ORIENTADOR, responsável pela avaliação do aprendizado dos alunos. Essa avaliação é utilizada para gerar dados que são analisados e usados para fazer ajustes no currículo, além de ajudar os alunos a definirem suas próprias metas de aprendizado. O professor também precisa ser um PENSADOR SISTÊMICO e um INTEGRADOR DO BEM-ESTAR – capaz de entender o relacionamento entre os alunos e a comunidade escolar; e INTEGRADOR DE TECNOLOGIA preparado para utilizar a tecnologia como uma ferramenta de ensino. Por fim, a sexta dimensão é denominada como PROFISSIONAL – integra o conteúdo, faz uma boa gestão de sala de aula, estabelece uma boa comunicação com os pais, planeja suas aulas e se preocupa com o engajamento dos alunos e os resultados pedagógicos.

O currículo da Q2L é estruturado e executado por meio de dois tipos de atividades principais: Discovery Missions e Boss Level. As Discovery Missions são compostas por Quests, que são na verdade desafios que motivam os alunos a buscarem informações em livros e na internet, realizar experimentos e elaborar pesquisas com pessoas reais para chegar a um objetivo específico a partir dos dados. O Boss Level é uma espécie de avaliação em que os alunos não apenas respondem a questões discursivas e de múltipla escolha, mas também apresentam os resultados de suas Quests, muitas delas exibidas no formato de um jogo – tanto digital como analógico. A Q2L conta ainda com uma rede social fechada, desenvolvida especialmente para os alunos da escola. A rede permite que apenas os alunos postem seus trabalhos e criem comunidades de discussão. Nessa rede, os professores também podem postar atividades valendo *badges*, pontos e organizar os alunos e os grupos de alunos em um ranking.

Na Q2L vi na prática a gamificação sendo aplicada em sala de aula e modificando por completo a experiência de centenas de alunos. Foi nessa escola também que conheci o trabalho de Jane McGonigal, uma *game designer* norte-americana responsável por um dos TEDs mais assistidos no mundo inteiro.[8] Jane é uma palestrante e autora muito engajada no mundo dos jogos. Seu livro *A realidade em jogo* tem um discurso tão eloquente sobre o poder dos jogos para transformar a realidade, que a gente às vezes se sente desanimado por não viver de corpo e alma em realidades alternativas. O livro coloca em xeque a realidade em que vivemos, explicando como ela é mais chata e desinteressante do que os *games*. Por exemplo, McGonigal diz que "em comparação aos jogos, a realidade é deprimente. Os jogos concentram nossa energia, com otimismo incansável, em algo no qual somos bons e apreciamos fazer".[9]

Depois que escrevi todos os capítulos deste livro e o revisei, não tive dúvidas de que deveria seguir a mesma linha do livro de Jane: colocar em xeque a aula tradicional, mostrando que ela pode ser mais motivadora e interessante com a adição dos elementos dos jogos. Nasceu assim a ideia de nomear esta obra simplesmente como *Aula em jogo*. É importante destacar que isso não significa transformar a aula em um jogo propriamente dito, mas sim adicionar elementos dos jogos em seu planejamento e execução. Mostrar essas possibilidades de forma descomplicada é um dos propósitos deste livro.

8. MCGONIGAL, Jane. Gaming can make a better world. *TED*. fev. 2010. Disponível em: <https://www.ted.com/talks/jane_mcgonigal_gaming_can_make_a_better_world?language=pt-br>. Acesso em: 27 fev. 2020.

9. MCGONIGAL, Jane. *A realidade em jogo*. Rio de Janeiro: BestSeller, 2012. p.47.

Outra referência importante que conheci no curso da Q2L foi o linguista James Paul Gee, autor de vários livros sobre o uso de *videogames* na educação.[10] Além disso, outro autor bastante comentado no curso foi Marc Prensky.[11] Ao ler as obras de ambos fui me nutrindo cada vez mais com ideias e argumentos sólidos para defender a bandeira do uso dos jogos e, principalmente, de seus elementos e sua linguagem na educação.

De volta ao Brasil, comecei a implementar o que aprendi nos Estados Unidos. É óbvio que não era possível fazer muita coisa, uma vez que eu não contava com tantos recursos e apoio para a realização das atividades. Nessa época lecionava em cursos de graduação na Universidade Paulista (UNIP) e minha ferramenta tecnológica principal de trabalho era o Power Point. Foi com ela que segui minha jornada de gamificação, adicionando *quests*[12] no meio das aulas, atribuindo pontos, organizando os alunos em grupos, realizando minigincanas, entre outros.

Recebia uma resposta positiva dos alunos, mas confesso que muitas vezes me sentia cansado e perdido na aplicação dos elementos dos jogos em sala de aula. Já começava a perceber os desafios na aplicação da estratégia relacionados à imersão, ao monitoramento e ao feedback instantâneo aos alunos, e sentia cada vez mais necessidade de tecnologias digitais para me auxiliar a reproduzir uma experiência de aprendizagem gamificada mais consistente.

10. Visite a página oficial de James P. Gee. Clique em "Books" e "Publications" para conhecer os livros e artigos do autor (a maioria está em inglês). Disponível em: <https://jamespaulgee.com/>. Acesso em: 27 fev. 2020.

11. Conheça a página oficial de Marc Prenksy. Disponível em: <http://marcprensky.com/>. Acesso em: 27 fev. 2020.

12. No universo dos *games*, *quests* são missões realizadas por um ou vários jogadores para receber alguma recompensa. As *quests* podem ter diversos propósitos, entre eles ganhar dinheiro, receber algum item, obter acesso a uma área específica ou simplesmente por diversão.

Se hoje me perguntarem se é possível trabalhar com gamificação sem uso de tecnologia digital, respondo que sim. Porém, deixo claro que o processo fica muito mais vulnerável e trabalhoso. Quando falo em vulnerabilidade, quero dizer que os alunos podem questionar o professor sobre o processo de monitoramento dos dados (pontos, por exemplo). Em um processo gamificado, a avaliação subjetiva não é tão bem-vinda assim. Quando se instala contextos próximos a jogos com condições de vitória, recompensas e objetivos finais bem definidos, os alunos ficam muito mais vigilantes e se sentem injustiçados quando o juízo de valor é mais subjetivo do que objetivo.

Processos de gamificação puramente analógicos costumam demandar uma quantidade enorme de material impresso, uma logística de organização dos alunos que pode esgotar a cognição do professor e demandar um trabalho árduo de muitas horas de planejamento e organização dos materiais utilizados durante a aula.

Por falta de apoio e, por exemplo, pela falta de internet em sala de aula, consegui avançar até certo ponto na aplicação da gamificação. Mas queria ir além! E, para conseguir isso, sabia que deveria tomar uma decisão importante. No fim de 2012, saí da universidade e voltei para a educação básica, iniciando uma nova etapa na minha carreira. Fui estagiário por seis meses na feira de ciências no Colégio Bandeirantes, uma escola privada de São Paulo. E, no ano seguinte, fui contratado como professor do laboratório de Biologia.

No Bandeirantes ocorreu o meu terceiro "clift, cloft, still, a porta se abriu!". A escola se transformou no meu laboratório vivo, onde tinha recursos, apoio e espaço para testar hipóteses de aprendizagem. O maior apoio nessa fase foi sem dúvida dado pela minha coordenadora, a professora Cristiana Mattos Assumpção – conhecida por todos carinhosamente como Cris. Ao lado dessa incrível líder e educadora, comecei a participar de uma série de projetos criados e liderados por ela e outros professores. O primeiro foi a oficina de Mundos Virtuais, na qual os estudantes reproduziam o colégio dentro do ambiente virtual do Minecraft. Para além do jogo, os alunos estudavam sobre arquitetura, escala matemática e a história do bairro da Vila Mariana na cidade de São Paulo.[13] O projeto era realizado em parceria com a professora de história, Eva Turin. Já nessa oficina, em 2014, percebia o potencial dos *games* na educação e como eles podiam criar situações significativas para aprender e trabalhar com os alunos. Lembro até hoje quando um participante da oficina inseriu um dragão no mundo virtual, destruindo boa parte do trabalho realizado pelos alunos. Aquela situação levou os estudantes a pararem o que estavam fazendo e discutirem o que era colaboração, respeito e trabalho em equipe tanto no mundo real quanto analógico. Os alunos levaram muito a sério aquela missão de reconstruir o colégio e perceberam que estavam fazendo algo maior que eles mesmos. O jogo era uma ferramenta, um meio para que se autoexpressassem e trabalhassem de forma colaborativa e propositiva.

Outro projeto que tive a oportunidade de ingressar como professor foi o BandForense,[14] que tinha por objetivo levar aos alunos do nono ano do Ensino Fundamental II conhecimentos básicos de biologia, física, química e matemática por meio da prática forense

13. Confira matéria publicada no portal G1 que mostra imagens dos alunos e da oficina Mundos Virtuais, ministrada de 2013 a 2016. G1 SÃO PAULO. Evento discute o uso da tecnologia e os novos rumos da educação. *G1*. 28 abr. 2014. Disponível em: <http://g1.globo.com/sao-paulo/noticia/2014/04/evento-discute-o-uso-da-tecnologia-e-os-novos-rumos-da-educacao.html>. Acesso em: 27 fev. 2020.

14. Confira a matéria: Professores usam investigação forense para ensinar conceitos de matemática e física, feita pelo programa Hoje Em Dia e publicada no Portal R7. Disponível em: <https://recordtv.r7.com/hoje-em-dia/videos/professores-usam-investigacao-forense-para-ensinar-conceitos-de-matematica-e-fisica-14102018>. Acesso em: 27 fev. 2020.

e investigação criminal.[15] Esse projeto se tornou um laboratório à parte, muito rico e significativo para eu desenvolver e testar minhas habilidades de gamificação, tanto que há um capítulo neste livro em que conto com mais detalhes a minha jornada e as práticas de gamificação que desenvolvi com ele.

Fora do Colégio Bandeirantes, ocorreu também outro "clift, cloft, still, a porta se abriu!". Para não perder a conta, esse foi o quarto! Sempre tive curiosidade para entender como eram criados os *games*. Então, no início de 2014, entrei como aluno em um curso de desenvolvimento de jogos digitais da Escola de Arte, *Game* e Animação, a SAGA. No curso, aprendi mais sobre os processos de criação dos jogos digitais, entrando em contato com os programas responsáveis pela sua produção. Nessa época conheci diversos programas que abriram literalmente minha cabeça. Aprendi o básico de Maya, 3D Max, Mudbox, Unreal e Unity – programas úteis para o desenvolvimento de jogos digitais sofisticados para consoles como PlayStation e Xbox.

No entanto, já percebia que a área de educação não absorveria tão fácil essas tecnologias, especialmente pelo poder de processamento que esses *softwares* demandam. Mesmo em escolas de ponta não há computadores com placas de vídeo e de última geração para rodar qualquer tipo de jogo ou aplicação desenvolvida no ambiente 3D. Além disso, o fluxo de desenvolvimento com *softwares* e tecnologia 3D exige muito tempo e conhecimento de linguagem de programação específica.

15. ASSUMPÇÃO, Cristina Mattos; EUGENIO, Tiago J. B. Casos criminais viraram jogos de investigação forense. *Porvir*. 22 jul. 2015. Disponível em: <https://porvir.org/casos-criminais-viraram-jogos-de-investigacao-forense/20150722/>. Acesso em: 27 fev. 2020.
PALHARES, Isabela. Escolas de São Paulo se inspiram em série criminal para ensinar. *O Estado de S. Paulo*, 2015. 8 jun. 2015. Disponível em: <https://educacao.estadao.com.br/noticias/geral,escolas-se---inspiram-em-serie-criminal-para-ensinar---imp-,1701837>. Acesso em: 27 fev. 2020.

Meu objetivo não era virar um programador ou criador de jogos digitais, mas sim cooptar mais ideias e recursos para melhorar minhas aulas e criar experiências de aprendizagem gamificadas mais motivadoras e eficazes. Esse sempre foi o meu propósito. Então, comecei a explorar e aprender com *softwares* mais simples. O Construct 2 caiu como uma luva, permitindo criar experiências mais próximas de um *game*, conectando diferentes elementos de jogos às aulas. O Construct 2 é um editor de jogos 2D baseado em HTML5.[16] É um *software* destinado tanto para não programadores quanto para programadores experientes. Ele permite a criação rápida de jogos, por meio do estilo Drag And Drop, usando um editor visual e um sistema de lógica baseado em blocos e comportamento.

A maior parte das experiências compartilhadas na segunda parte deste livro foi possível graças ao uso de aplicações criadas no Construct 2 e em uma série de outras ferramentas gratuitas e disponíveis na internet. Outra plataforma importante, sem dúvida, foi o Genial.ly, onde é possível criar *gameaulas* interativas e com *templates* predefinidos.[17] Você perceberá que um bom número das ideias compartilhadas ao longo dos capítulos deste livro pode ser reproduzido sem o uso do Construct, apenas utilizando o Power Point ou outros programas como editores de vídeo e de imagens.

A utilização de *softwares* de criação rápida de jogos me permitiu reproduzir com mais contundência os elementos dos jogos em sala de aula. Foi assim que comecei a montar *gameaulas* que são na verdade *storylines* digitais que contam uma história (imersão); orientam os alunos nas atividades (ação); e os engajam na pesquisa e na coleta de dados para descobrir uma senha específica (desafio).

16. Além do Construct 2, existe também a versão mais moderna deste *software* chamado Construct 3. Disponível em: <https://www.scirra.com/>. Acesso em: 27 fev. 2020.

17. Disponível em: <https://www.genial.ly/en>. Acesso em: 21 jun. 2020.

Acertando o código secreto, novas telas surgem (recompensa), permitindo que os grupos progridam sobre a narrativa (progressão).

O *storyline* digital também modificou a forma como eu (professor) lidava com o conteúdo. Como ocorre em uma série de TV, um filme ou em um livro, o conteúdo se revelava conforme os grupos progrediam na narrativa, não sendo mais necessário que eu antecipasse ou até comprometesse esse importante processo de descoberta. A necessidade de o professor fazer contextualizações e explanações no início de uma aula é praticamente eliminada com a presença das *gameaulas*. O professor na verdade deve focar mais a organização dos grupos e aguardar até que solicitem algo – motivados por uma necessidade real de auxílio pelo professor diante de um problema revelado pela narrativa.

Todo esse processo é detalhado no capítulo 6, no qual conto como gamifiquei o Bandforense. Ainda dentro desse contexto e desse objetivo de transformar a linguagem e a organização das aulas tradicionais em uma série de TV com temporadas e episódios, no capítulo 11 conto como isso pode ser feito por qualquer professor com auxílio do Educaflix.

Além do meu trabalho no Bandeirantes, criei e coordenei uma pós-graduação.[18] Esse curso também foi um laboratório de aprendizagem e um espaço ímpar para criar diversas experiências que compartilho também neste livro, inspirado principalmente pelos trabalhos desenvolvidos e publicados pela professora Eliane Schlemmer.[19]

Em 2017, decidi que ajudaria outros professores e instituições de ensino a usar todo o potencial da linguagem dos jogos para

18. OLIVEIRA, Maria Victória. Curso de pós ensina cultura pop e *games* a professores. *Porvir*. 9 jun. 2015. Disponível em: <https://porvir.org/pos-graduacao-em-games-inova-ensino-tradicional/>. Acesso em: 27 fev. 2020.

19. Schlemmer é uma das maiores referências em gamificação e educação on-line no Brasil. Artigos disponíveis em: <https://unisinos.academia.edu/ElianeSchlemmer>. Acesso em: 21 jun. 2020.

gerar mais engajamento nos alunos e uma aprendizagem mais eficaz. Para colocar em prática esse propósito, tive que tomar outra decisão: sair do Colégio Bandeirantes,[20] um dos mais prestigiados do país, para cumprir minha missão. Contratado como *designer* de aprendizagem na Rhyzos Educação, criei a plataforma Detecta[21] com um *storytelling* protagonizado por personagens e cenários brasileiros. Criei esse projeto com o objetivo de escalonar o que desenvolvi durante minha trajetória no BandForense.

O meu quinto "clift, cloft, still, a porta se abriu!" aconteceu quando decidi fundar minha própria empresa e gerenciar de forma totalmente autônoma meus projetos. Em parceria com a neuropsicopedagoga Ana Lucia Hennemann, fundei a Plataforma Educacional Neurons[22] – uma plataforma com diversos jogos que estimulam habilidades de aprendizagem com sistema de avaliação on-line para uso educacional e clínico. Parti também para a criação do Escapeplay[23] – aplicativos no formato de *escape room* desenhados para modificar a experiência de aprendizagem em aulas de ciências. E, mais recentemente, investi no desenvolvimento de ferramentas rápidas e descomplicadas para o professor gamificar qualquer tipo de conteúdo, editando planilhas eletrônicas do Google Drive.[24]

No fundo, todos os dias estou trabalhando na implementação do meu propósito e buscando recursos e alternativas para utilizar

20. Além de trabalhar em projetos ligados ao uso de Minecraft e de gamificação aplicados às práticas forenses, iniciei também uma oficina de criação de jogos digitais chamada "*Game Studio*: criação e programação de jogos digitais" para alunos do oitavo e nono ano do Ensino Fundamental II no Colégio Bandeirantes. Neste link, você pode assistir a minha palestra, em que compartilho os processos de criação de jogos e dicas para implementar uma oficina de jogos em uma escola. Disponível em: <https://youtu.be/L8m6DI_v6ZY>. Acesso em: 27 fev. 2020.
Em 2018, criei o curso Programação de *Games* VC.Maker do grupo Positivo. Disponível em: <https://tecnologia.educacional.com.br/vcmaker/vc-maker-curso-programacao-de-games/>. Acesso em: 27 de fev. 2020.

21. Para mais informações, acesse: <http://detecta.app>. Acesso em: 27 de fev. 2020.

22. Para mais informações, acesse: <http://clickneurons.com.br/>. Acesso em: 27 fev. 2020.

23. Para mais informações, acesse: <http://aulaemjogo.com.br>. Acesso em: 27 fev. 2020.

24. Para mais informações, acesse: <http://tiagoeugenio.com.br/curso-on-line>. Acesso em: 27 fev. 2020.

a linguagem dos jogos no contexto pedagógico da melhor forma possível. Escrever este livro me motivou a dar mais um passo: criei um conjunto de *templates* e painéis interativos inspirados em jogos digitais famosos. A este conjunto dei o nome de Class Dash. O livro também foi um bom pretexto para documentar e compartilhar minha trajetória como professor e, mais recentemente, como autor e empreendedor na área de educação.

Quando se lê este texto como deve ser lido, de cima para baixo, até parece que minha jornada foi linear – tanto que poderia ser representada por uma curva contínua de crescimento linear. Ledo engano. Diria que essa jornada mais se parece com uma montanha-russa com inúmeros altos e baixos. Praticamente, todos os momentos de "clift, cloft, still, a porta se abriu!" exigiram renúncias de segurança e desapego da zona de conforto da minha parte. Mudar nossos hábitos, costumes e práticas cotidianas não é algo que agrade tanto nosso cérebro. Exige muita disciplina, coragem e, principalmente, propósito!

Então, eu lhe pergunto: qual é o seu propósito? Minha trajetória, assim como este livro, é parte de um processo inacabado – não tenho dúvidas que muitas portas e momentos de "clift, cloft, still" estão por vir ainda. Mas chegou o momento em que não quero mais atravessar apenas as portas. Desejo também as construir para que sirvam de passagem para outras pessoas.

Este livro tem como propósito mostrar o uso da linguagem dos jogos na educação, inspirando professores e profissionais que trabalham de alguma forma na área. Meu intuito é apresentar uma pequena porta a você. Neste momento, por favor, considere-me como uma espécie de Porteiro do Castelo. No entanto, para entrar nele, você não deve adivinhar a senha do dia, mas sim seguir a leitura dos capítulos a seguir.

A cada parte e capítulo desta obra, procuro apresentar a arquitetura dos cômodos, as passagens secretas e as possibilidades de usar as ferramentas e as tecnologias que este castelo da gamificação dispõe. No fim, posso assegurar uma única coisa: a certeza de que você jamais ministrará aulas como antes. Seu jeito de ensinar e aprender será transformado para todo o sempre.

Está preparado?

Então, seja muito bem-vindo ao **Aula em jogo: descomplicando a gamificação para educadores.**

O SUPERPODER DA **gamificação na educação**

Não há dúvida de que a educação sofreu diversas modificações nos últimos anos. As tecnologias digitais possibilitaram formas diversas e inovadoras de trabalhar, construir e se expressar. Atualmente, as escolas lidam com estudantes que desenvolveram um modo de organizar o pensamento com base em meios não só analógicos, mas também digitais, e essa combinação está permitindo um nível de ação e de interação mais dinâmico e instantâneo.

Essa forma de se relacionar com o mundo é potencializada pelas diferentes mídias disponíveis, como aplicativos de mensagens instantâneas, conteúdo dos mais diversos formatos em *streaming*, mídias sociais e *games*. Por exemplo, estima-se que a humanidade despenda em torno de 3 bilhões de horas por semana somente jogando *videogames*.[25] Não é por menos que professores relatam

25. KOWERT, Rachel; QUANDT, Thorsten. *The Video Game Debate*: Unravelling the Physical, Social, And Psychological Effects of Digital Games. Inglaterra: Routledge, 2015.

frequentemente os desafios de manter o interesse dos estudantes pelos conteúdos escolares diante de um admirável mundo novo recheado de dispositivos móveis e *gadgets*.

As infinitas possibilidades de socialização, aprendizagens e criação proporcionadas pela cultura digital são mais tentadoras para a atenção do que o típico currículo escolar.[26] Essa suposta concorrência pela atenção do estudante tem promovido uma revolução na educação e a ascensão de novas abordagens e metodologias ativas e estratégias de aprendizagem, entre elas a gamificação.

Gamificação é um fenômeno que emergiu e ganhou fôlego no início do século XXI graças às tecnologias da informação, que permitiram implementar, em outros contextos, elementos dos jogos, tais como controle, feedback instantâneo e conectividade.

Originada como método aplicado inicialmente em programas de marketing e para *web*, com a finalidade de motivar, engajar e fidelizar clientes e usuários, a gamificação vem ganhando espaço na educação, aplicada como estratégia de ensino e aprendizagem dirigida a uma geração que teve a infância permeada, sobretudo, pelos *videogames*.

Evidências da neurociência apontam três elementos fundamentais para que ocorra uma boa aprendizagem: motivação, atenção e memória.[27] Os *games* são construídos por uma série de elementos e mecanismos que motivam, demandam atenção e principalmente memória para superar os problemas e desafios propostos ao jogador durante o jogo. Dessa forma, professores podem se beneficiar ob-

26. GEE, James Paul. *What Video Games Have to Teach Us About Learning And Literacy*. 2nd ed. Londres: Palgrave Macmillan Trade, 2007.

27. RAMOS, Angela Souza da F. Dados recentes da neurociência fundamentam o método Brain-Based Learning". *Revista da Associação Brasileira de Psicopedagogia*. São Paulo: ABPP, edição 96, v. 31, 2014. Disponível em: <http://www.revistapsicopedagogia.com.br/detalhes/64/dados-recentes-da-neurociencia-fundamentam-o-metodo--brain-based-learning->. Acesso em: 22 fev. 2020.

servando os jogos de *videogame* como bons modelos e recursos de aprendizagem. Mas é importante destacar que gamificação não se restringe ao uso de jogos prontos, tanto analógicos como digitais, em sala de aula. Compreender o conceito desse modo é subestimar o poder de transformação real da gamificação.[28] O nome do conceito, atribuído a Nick Pelling em 2002, não ajuda tanto, por remeter diretamente aos *games*. No entanto, é bom destacar que gamificação tem mais a ver com o comportamento humano e a psicologia do que com jogos e diversão. A gamificação tem um compromisso com o lúdico, mas está longe de defender que seja somente por meio disso que as pessoas são motivadas e se engajam em uma proposta.

Logo, se você ainda acredita que gamificar uma sala de aula é o mesmo que trabalhar com jogos prontos ou criar uma atmosfera mais divertida para os alunos aprenderem algo com menos esforço e mais diversão, este livro tem como meta lhe mostrar quão limitada é essa crença.

Mais uma vez, a gamificação mira o comportamento dos alunos. Assim, usamos gamificação quando queremos reduzir para zero o índice de tarefas não realizadas pelos alunos e o número de ausências e atrasos no horário em que chegam à sala de aula, por exemplo. Usamos gamificação também para aumentar para 90% ou 100% a participação dos alunos em atividades que envolvam ler textos, assistir a um vídeo, participar de discussões, pesquisar ou responder a um formulário. E, sim, os alunos realizam essas atividades de forma mais divertida e leve, mas bastante cientes que estão aprendendo e desenvolvendo novas competências.

---

28. DETERDING, Sebastian et alii. Gamification: Toward a Definition. Proceedings of CHI 2011 Workshop *Gamification*: Usuing Game Design Elements in Non-Game Contexts, 2011, p. 6-9. Disponível em: <http://gamification-research.org/wp-content/uploads/2011/04/02-Deterding-Khaled-Nacke-Dixon.pdf>. Acesso em: 22 fev. 2020.

A gamificação também permite expor aos alunos diferentes contextos de competição e colaboração. A vivência desses contextos, permeados por conflitos, interesses e objetivos comuns e individuais são fundamentais para criarem um repertório de experiências sociais, por meio do qual podem expressar emoções e comportamentos, praticando as competências socioemocionais e desenvolvendo as chamadas funções executivas.

O uso dos elementos de jogos em contextos que não são propriamente para jogos, como a sala de aula, torna viável também o chamado ensino híbrido – o ensino que mescla estratégias de ensino on-line e off-line.[29] Plataformas virtuais de conhecimento podem se tornar inúteis quando não são gamificadas. Os alunos não encontram muito propósito em acessar um ambiente diferente e executar uma tarefa como assistir a um vídeo antes da aula. Para que isso ocorra, o professor precisa agir, por exemplo, relembrando diversas vezes ao aluno sobre o material postado ou, então, atribuindo uma nota (recompensa) para o aluno que fizer o dever de casa. Plataformas que exploram os elementos dos jogos encorajam mais os alunos a realizarem as atividades, diminuindo o esforço pessoal do professor de repetir e criar regras rígidas para forçá-los a usufruírem do material criado com tanto esforço para ele. A gamificação costuma automatizar processos e retira a responsabilidade do professor também de gerenciar informações geradas pelos alunos. Nesse ponto é que entra um pilar importante da gamificação: as tecnologias digitais – que diminuem o esforço atencional e o serviço braçal do professor de gerenciar tantas informações e dados criados em uma experiência de aprendizagem.

29. HORN, Michael; STAKER, Heather. *Blended*: usando a inovação disruptiva para aprimorar a educação. Porto Alegre: Penso, 2015.

Na esteira de benefícios observamos ainda como a gamificação auxilia na desconstrução do ambiente tradicional da sala de aula. Até alguns anos atrás, a formação escolar e também do ensino superior geralmente tinham como base ir até a escola, acompanhar todas as aulas de forma presencial, contar com materiais de suporte em papel (livros didáticos e paradidáticos) e ter sempre a obrigatoriedade de cumprir uma carga horária com datas e horas marcadas, diariamente ou quase todos os dias. Contudo, com o passar dos anos e com a crescente oferta de tecnologias para todos os segmentos, a sala de aula começou a passar por uma transformação.

Se antes era imprescindível acompanhar uma aula presencial, agora é possível fazer isso de forma parcial, ou seja, uma parte na instituição e outra em qualquer lugar que você estiver, contando que tenha internet e um aparelho com acesso à rede. Mas, mais uma vez, é um pouco ingênuo acreditar que os alunos realizarão as atividades postadas em uma plataforma, especialmente adolescentes e crianças do Ensino Fundamental I e II.

A gamificação, nesse sentido, modifica esse comportamento por adicionar um propósito explícito, um senso claro de progressão e oportunidades de competir e colaborar remotamente com outros alunos, reproduzindo dinâmicas e mecânicas típicas de tantos jogos on-line.[30] Mas diferentemente dos *games* que apresentam um *gameplay* (cenário virtual em movimento), a gamificação se volta mais a quadros e *dashboards* com números, isto é, pontos, moedas fictícias, itens, níveis etc.

30. Um bom exemplo de plataforma educacional que utiliza elementos de jogos para motivar os alunos a realizarem atividades é a Khan Academy, fundada por Salman Khan. Com a missão de proporcionar uma educação gratuita e de alta qualidade para todos, em qualquer lugar, oferece uma coleção grátis de vídeos de diversos assuntos do currículo escolar. Disponível em: <https://pt.khanacademy.org/>. Acesso em: 22 fev. 2020.

Repare: a gamificação tem uma natureza mais quantitativa e foca a performance do usuário em determinada tarefa. É assim que a gamificação gera dados e permite analistas, professores, coordenadores e gestores a olharem para esse conjunto de dados e tomar uma decisão mais assertiva. Por exemplo, entender se determinada estratégia está funcionando ou não, se os alunos estão aprendendo ou não, se o uso de certo elemento de jogo está gerando mais resultado ou não. Essa é a base do Big Data que entende padrões de comportamento, e, a partir disso, cria-se novas soluções, produtos e demandas para a educação e a sociedade.

Como este livro **está organizado?**

A gamificação e o *game design* são propostas educacionais muito defendidas por pesquisadores e especialistas das áreas de inovação, mas ainda pouco utilizadas em ambientes de aprendizagem. Na verdade, professores alegam que a gamificação é uma estratégia difícil de colocar em prática e demanda muito tempo de planejamento e conhecimento.

Não vou mentir, implementar bons processos de gamificação é um trabalho árduo e requer muito planejamento. Mas existem atalhos interessantes que facilitam o processo de implementação. Nesse sentido, **este livro tem como propósito mostrar como pode ser mais simples do que você imagina trabalhar com gamificação dentro da sala de aula.** Meu intuito é apresentar, na primeira parte, os princípios básicos da gamificação. Todavia, este livro está bem longe de trilhar um caminho estritamente teórico – algo que observo em muitas produções bibliográficas sobre o tema.

O objetivo desta primeira parte é introduzir o universo da gamificação, mas sempre aproximando seu conceito e sua aplicação ao contexto pedagógico. Por isso, vamos discutir no primeiro capítulo **o que os *games* e a cultura pop podem ensinar aos professores**. No segundo capítulo, – **o que é gamificação?** –, analiso de perto o conceito de gamificação e desfaço uma série de "*gamemitos*" e mal-entendidos que rondam e assombram o significado real do termo. Por exemplo, abordo as diferenças entre Aprendizagem Baseada em Jogos (ABJ), *Serious Game* e gamificação. Em seguida, analisamos duas questões fundamentais quando pensamos no uso de qualquer ferramenta e estratégia: **por que e quando usar gamificação na educação**.

O quarto capítulo tem o propósito de mostrar dois tipos de gamificação: **a gamificação de conteúdo e a estruturada**. Em seguida, nós analisamos as **bases para a construção de uma boa gamificação na sala de aula**, organizadas em três pilares: conteúdo, escolhas e desafios. A primeira parte é finalizada com uma discussão sobre outros pilares (plataformas) que podem variar de intensidade conforme o tamanho da sua sala de aula. Nesse capítulo ainda há uma seção intitulada, **gamificação para salas pequenas e grandes**, em que discuto os elementos de design apresentados por Jon Radoff: imersão, cooperação, conquistas e competição.

A segunda parte deste livro tem como **objetivo compartilhar alguns processos de gamificação que venho implementando em minha sala de aula para alunos da Educação Básica, Superior e em workshops de formação para professores.**

Por meio desses relatos, busco mostrar **como** é a **gamificação na prática**. No primeiro capítulo, apresento um dos projetos que mais me emocionaram ao longo da minha carreira como professor – ***CSI* na sala de aula: gamificando um curso de ciências forenses do Ensino Fundamental**. Foi neste curso que comecei a trabalhar com *gameaulas* e narrativas digitais mais sofisticadas, reproduzindo de forma mais contundente os elementos e as dinâmicas dos *games* em sala de aula.

O capítulo ***design thinking*** **gamificado: criando experiências gamificadas em um curso para professores**, mostra como utilizei a gamificação em uma disciplina de pós-graduação. Esse capítulo inaugura uma sequência de outros relatos sobre como a gamificação pode ser utilizada para criar experiências pervasivas, híbridas e multimodais. Assim, enquanto no capítulo **Missão Crusoé: a gamificação aplicada em bibliotecas e espaços de convivência,** relato o uso da gamificação para levar alunos e professores a um centro cultural. No capítulo **Ataque cyberbiológico: gamificação e realidade aumentada aplicadas em museus** discuto como criei, em parceria com a professora Marly Machado Campos, o projeto MOVAR:[31] aprendizagem em movimento, que conduziu alunos e professores em uma trilha gamificada dentro do Museu de Microbiologia do Instituto Butantã, em São Paulo.

O capítulo **picos e vales: gamificando uma aula STEAM** mostra como a gamificação pode ser aplicada em currículos interdisciplinares, baseados em projetos e mais mão na massa como demanda a proposta do STEAM.

Todas essas propostas são compartilhadas visando a um objetivo maior: **mostrar que a gamificação é uma estratégia**

31. Disponível em: <https://movar.com.br>.

pedagógica útil em quaisquer contextos da aprendizagem e que pode gerar benefícios tanto para alunos quanto para professores em qualquer disciplina ou tipo de currículo.

Por fim, apresento ferramentas e *templates* para auxiliar o professor a implementar a gamificação dentro da sala de aula. Particularmente, acredito que as tecnologias digitais sejam próteses cognitivas que nos auxiliam a implementar e gerir processos. No caso da gamificação, a tecnologia é útil para modificar a experiência do aluno no que diz respeito à interface em que os conteúdos são disponibilizados, o tipo de acesso, a maneira como ele observa seu progresso e obtém feedback. Com auxílio da tecnologia, o professor consegue monitorar com mais eficiência o desempenho de seus alunos, além de gerar experiências mais imersivas e com uma interface mais próxima dos *games* que os alunos tanto gostam.

Nos últimos anos, venho estudando e criando ferramentas cada vez mais rápidas e descomplicadas para professores gamificarem suas aulas, tanto que desenvolvi um curso on-line chamado **Gamificação descomplicada para educadores**,[32] no qual compartilho uma série de ferramentas que possibilitam gamificar qualquer aula por meio de planilhas do Google Drive. Neste livro, apresento algumas delas. A primeira é a **Educaflix**, que poderá ser acessada em um curso de curta duração indicado neste livro. Assim, o primeiro capítulo dessa parte mais técnica tem como objetivo mostrar a **Educaflix e como o professor pode transformar suas aulas em um seriado de sucesso**.[33]

32. EUGENIO, Tiago J. B. *Curso on-line Gamificação descomplicada para educadores*. Disponível em: <tiagoeugenio.com.br/curso-on-line>. Acesso em: 22 fev. 2020.

33. O termo "série" aqui é utilizado como série televisiva, série de TV ou telessérie, isto é, um tipo de programa televisivo ou programa on-line com um número predefinido de capítulos por temporada, chamados episódios.

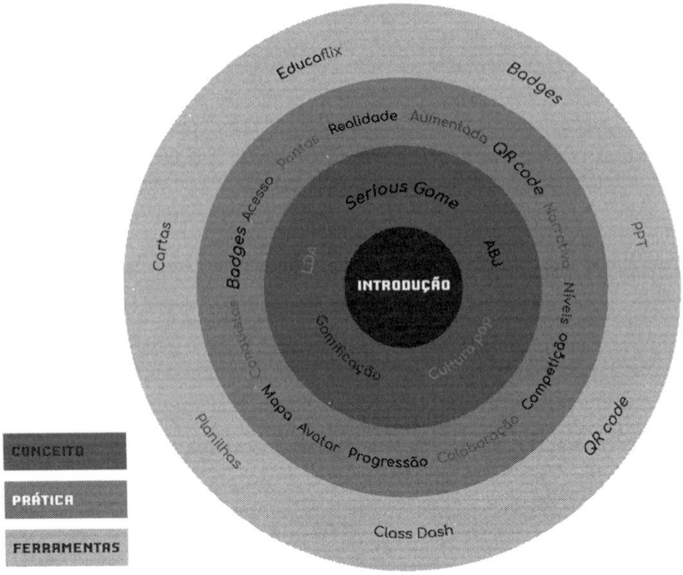

Figura 1: Organização geral das partes e dos temas trabalhados nos capítulos deste livro.
Fonte: O autor.

O próximo capítulo foi inspirado em diversos jogos que gosto bastante como Plants Vs Zombies, Final Fantasy, Chrono Trigger, Angry Birds, dentre outros. O capítulo **Class Dash: o ensino híbrido gamificado** tem como objetivo compartilhar uma série de *templates* para você gamificar aulas de qualquer disciplina, reproduzindo na sala de aula dinâmicas competitivas e colaborativas. Pensando em um processo de gamificação estruturada, no capítulo **Aprendendo a criar *badges*, cartas e avaliações gamificadas**, compartilho também modelos de planilhas úteis para monitorar e gerenciar o progresso dos alunos em uma sala de aula gamificada.

Finalizo o livro listando ferramentas para criar e exemplos de uso de cartas para você experimentar tanto em situações analógicas quanto em ambientes digitais. Na última seção do capítulo final, compartilho os caminhos para você acessar um *template* de uma avaliação gamificada feito em Power Point – mais uma prova de que a gamificação está realmente ao alcance de todos.

PARTE 1

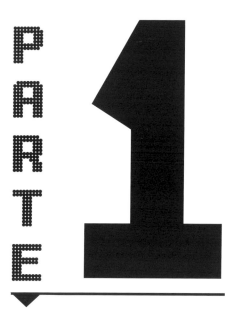

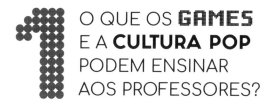

1 O QUE OS **GAMES** E A **CULTURA POP** PODEM ENSINAR AOS PROFESSORES?

A psicologia nos ensina e a indústria de *game* comprova que todas as pessoas buscam três coisas: autonomia, competência e conexões sociais. Se você não sabe, esses três ingredientes e elementos mágicos são as bases da chamada teoria da autodeterminação. Somos motivados quando interagimos em ambientes que oferecem de forma rápida e descomplicada esses três itens. Neste capítulo, vamos conhecer as bases da teoria da autodeterminação e como os jogos eletrônicos fizeram uso dela para se reinventarem e se tornarem a terceira maior indústria do planeta.

Tenho certeza de que, em algum momento da vida, todo mundo jogou algum tipo de jogo – seja quando criança no parquinho, chutando uma bola e tentando marcar um gol, seja jogando um jogo de cartas, de tabuleiro ou algum jogo digital no smartphone ou no console de *videogame*.

Os jogos fazem parte de todas as culturas e participam de qualquer experiência humana compartilhada. Mas, deixe-me fazer um aviso: usar jogos prontos em sala de aula é uma coisa; usar elementos dos jogos em uma aula (que não é um jogo) é outra. Essa outra coisa é o que chamamos de gamificação. De forma bem objetiva, a gamificação permite usar os elementos dos jogos e integrá-los à intencionalidade pedagógica do professor. Essa integração oferece oportunidades únicas para um engajamento dos alunos, tornando o aprendizado não apenas tolerável, mas realmente divertido e desejado.

Basicamente, gamificação é sobre motivação e comportamento humano. Como professores, queremos que os alunos prestem atenção ao conteúdo dado, cumpram as atividades e interajam com seus pares para aprender e desenvolver novas habilidades. Então, quando me refiro à gamificação na educação, estou falando sobre como os jogos podem ser modelos inteligentes e inspiradores para modificar a experiência dos alunos em uma experiência de ensino e aprendizagem, e não simplesmente utilizar um jogo pronto.

Em uma sala de aula tradicional, provavelmente, muitos alunos preferem jogar um jogo do que prestar atenção no professor. Mas por que isso acontece com tanta frequência? Afinal, o que faz dos *games* recursos tão fascinantes? Ironicamente, *games* são recursos poderosos para a aprendizagem humana. Gostamos de desafios. Nossos cérebros adoram receber feedbacks para saber se estamos indo bem ou mal em uma determinada atividade. Gostamos também de perceber que estamos avançando, crescendo e desenvolvendo competências, ficando cada vez melhor no que fazemos. Não gostamos de ficar presos e reféns de outros. Zelamos e lutamos permanentemente pela nossa autonomia e buscamos constantemente novos vínculos sociais.

Mas o que os *games* têm a ver com isso? A resposta é bem simples: os jogos conseguem reproduzir situações por meio das quais todas essas necessidades são satisfeitas de forma muito eficaz, rápida e barata.

A indústria de *games* foi paulatinamente entendendo o comportamento do jogador e criando jogos cada vez mais alinhados com os pressupostos da teoria da autodeterminação. O mais surpreendente é que a incorporação dos pontos centrais ocorreu muito mais rápido do que a pedagogia – que sofre ainda muitas vezes com uma *práxis* descontextualizada e desmotivadora.

A teoria da autodeterminação é uma abordagem para a motivação e a personalidade humana sistematizada por Richard Ryan e Edward Deci na década de 1970. A teoria compreende o estudo das necessidades psicológicas que constituem as bases da motivação pessoal, assim como as condições que promovem processos positivos de engajamento, envolvimento e aprendizagem.

Ryan e Deci (2000)[1] identificaram três necessidades básicas: a necessidade de autonomia, a necessidade de competência e a necessidade de pertencimento. De forma bastante resumida, a necessidade de autonomia se refere ao senso de autodireção, de perceber que uma ação ocorre por vontade própria do indivíduo e não por pressão externa; a necessidade de competência se refere ao senso de aperfeiçoamento constante no domínio ou na aprendizagem de uma nova habilidade; e a necessidade de pertencimento se refere à percepção de que existem vínculos interpessoais e duradouros.

Essas necessidades são inatas, mas hoje, com a explosão das tecnologias digitais e dos diversos canais de comunicação via internet, elas estão mais latentes e realçadas, justamente porque há muitos meios interessantes para satisfazê-las de forma segura, rápida e barata. Não me refiro somente aos jogos, mas também às redes sociais, às plataformas de *streaming*, aos blogs, aos *softwares* de edição, às

1. DECI, Edward L.; RYAN, Richard M. The "What" and "Why" of Goal Pursuits: Human Needs and the Self-Determination of Behavior. *Psychological Inquiry*, v. 11, n. 4, 2000. p. 227–268. Disponível em: <https://www.tandfonline.com/doi/abs/10.1207/s15327965pli1104_01>. Acesso em: 29 fev. 2020.

plataformas de curso EAD, aos aplicativos de mensagens instantâneas, aos fóruns, às comunidades virtuais, dentre muitos outros canais. As pessoas usam esses recursos simplesmente porque encontram neles espaço para se expressarem, construírem novos vínculos e desenvolverem novas habilidades.

GAMIFICAÇÃO **e o *upgrade* na educação**

Veja bem, o computador e o smartphone são esteiras rápidas para o ser humano satisfazer todas as necessidades previstas pela teoria da autodeterminação. Mas não há outro produto que reproduza de forma tão contundente essas necessidades senão os jogos digitais. Assim, profissionais que trabalham com aprendizagem podem aprender muito com a evolução dos jogos eletrônicos, observando-os como modelos inspiradores.

Antes de entender isso, vamos a um adendo importante ou, melhor dizendo, a uma crença. Acredito que a gamificação seja uma das estratégias mais certeiras e eficazes para promover um *upgrade* do modelo educacional – de um mundo obsoleto, baseado na lógica fabril e de produção em massa, para um mundo novo e contemporâneo, caracterizado pela sociedade em rede, multiplicação dos canais de produção e personalização –, assim como fez a indústria de jogos com a experiência do jogador. Vejamos por que.

No passado, a educação, conhecida como tradicional, tinha as seguintes características:

- **Caminhos unidirecionais e métodos únicos de aprendizagem**, fortemente caracterizados pelo controle;

ativação da motivação extrínseca – baseada em recompensas, notas e aprovação em exames;

- **Alunos passivos** – sem autonomia e que só recebiam a informação.
- **Lições padronizadas e aprendizado robotizado**, diretamente associado à memorização.

Agora, neste mundo contemporâneo, pensa-se em múltiplos caminhos e formas de aprendizagem. Mais do que ensinar, é importante inspirar os alunos, ativar a motivação intrínseca, ou seja, a vontade própria do estudante de aprender e descobrir coisas novas por prazer e autossatisfação.

Além disso, em vez do controle, temos **liberdade e flexibilidade** como ideias predominantes. Pensa-se também em um senso mais voltado para a descoberta e a exploração, com alunos mais ativos e protagonistas, que produzam novos conhecimentos para o mundo.

O mais interessante é que essa atualização de mundo é também percebida quando analisamos a evolução dos próprios jogos digitais. Vamos entender como a mudança dessa indústria do entretenimento se relaciona com as transformações do mundo.

EVOLUÇÃO DOS *GAMES* e a teoria da autodeterminação

Nos anos 1960 e 1970, os *games* não ofereciam muita liberdade para os jogadores. Vejamos o exemplo de Pac-Man. Nele o jogador movimentava o personagem somente para cima, para baixo, para a esquerda e a direita. Não havia tanta autonomia, nem vínculos sociais dentro do sistema, pois Pac-Man sempre foi uma proposta de jogo solitário. Mas logo surgiram alguns mais modernos, como foi o caso do Space Panic, que tem um herói que deve escalar escadas e cavar buracos pelo cenário. Depois surgiram outros jogos como Donkey Kong Jr. e o famoso Super Mario Bros., que permitia ao jogador ter mais autonomia e liberdade de movimento. Era possível andar para frente, para trás, dar pulos e coletar itens como cogumelos e estrelas. Mas mesmo nesses jogos icônicos o jogador permanecia em um único caminho, enfrentando os mesmos desafios e, basicamente, só precisava ter uma boa coordenação mão-olho, apertando corretamente os botões no *joystick* para ser bem-sucedido no jogo. Com o passar do tempo, surgiram jogos 3D com visão 360°, como ocorreu com o lançamento do Super Mario 64 da Nintendo. Esses jogos ofereceram muito mais liberdade e flexibilidade aos jogadores. Assim, o jogo ganhou uma dimensão de exploração e não simplesmente de cumprimento de fases e tarefas.

Em Journey,[2] por exemplo, o jogador deve vagar por um deserto. A grande sensação é justamente explorar o cenário. Algo que acontece também em ABZÛ,[3] no qual o jogador é um mergulhador e deve explorar as profundezas do mar. Nesse jogo, não há uma recompensa e um propósito épico tão explícito como salvar uma princesa ou derrotar monstros alienígenas que desejam destruir o planeta Terra, mas sim uma liberdade absurda que supera a gana do jogador de cumprir qualquer objetivo.

E, quando falamos sobre protagonismo, todos os jogos abrem espaço para isso. Na verdade, a grande cereja do bolo de qualquer

2. Confira o trailer oficial de lançamento para Playstation 4 do jogo feito em 2014. Disponível em: <https://youtu.be/--fbwMuvShQ>. Acesso em 29 fev. 2020.

3. Confira o trailer oficial de lançamento para Playstation 4 do jogo feito em 2016. Disponível em: <https://youtu.be/P2G54w8H4oM>. Acesso em 29 fev. 2020.

jogo é o poder da agência.[4] E esse poder de agência foi crescendo cada vez mais, culminando em jogos em que a graça é gerenciar recursos ou construir suas próprias cidades, como é o caso de SimCity, ou então, planejar e mobiliar uma casa virtual, além de gerenciar a vida de avatares que formam uma verdadeira família – como acontece em The Sims.

As possibilidades de criação foram ficando cada vez mais diversificadas, especialmente após a comunicação em rede e o surgimento dos jogos on-line. Veja o caso do Minecraft,[5] um dos jogos mais amados e idolatrados por crianças. Nele, o jogador pode construir tudo e ainda convidar outras pessoas para jogar no seu mundo, conhecendo e navegando pelas suas construções.

Colocar os jogadores na posição de criadores é uma tendência forte. A própria franquia de jogos do Super Mario da Nintendo compreendeu bem a importância disso e criou o Super Mario Maker,[6] no qual os jogadores podem criar seu próprio *level design* e compartilhar com quem desejar.

Em todos esses exemplos, percebemos os valores que a indústria de jogos tem para ensinar para a pedagogia. Se desejamos realmente que os alunos prestem mais atenção nas aulas e se envolvam na proposta pedagógica do professor, precisamos criar cenários em que o aluno tenha mais liberdade, flexibilidade e protagonismo. Precisamos pensar em itinerários em que os alunos se sintam automotivados e autodeterminados, que possam tomar decisões (senso

4. Para conhecer mais sobre a relação entre os jogos e o poder de agência, leia o livro *Hamlet no Holodeck*, escrito pela doutora em literatura Janet Murray. MURRAY, Janet. *Hamlet no Holodeck*. São Paulo: Editora Unesp, 2003.

5. Veja o primeiro *trailer* oficial do jogo de 2011. Na época, ele ainda pertencia à Mojang. Disponível em: <https://youtu.be/MmB9b5njVbA>. Acesso em: 29 fev. 2020.

6. Confira o trailer oficial de lançamento do jogo para Wii U em 2014. Disponível em: <https://youtu.be/NLS458ekSEI>. Acesso em: 29 fev. 2020.

de autonomia); que visualizem e tenham autoconsciência de seus aprendizados e desenvolvimento de novas habilidades (senso de competência) e que possam estabelecer vínculos com outros alunos, trabalhando em grupo e aprendendo em comunidade (senso de pertencimento).

LIÇÕES DA **cultura pop para a educação**

A biologia nos ensina e a cultura pop comprova que inovação tem mais a ver com cópia, combinação e remixagem do que com criação e originalidade propriamente dita.[7] Para inovar em qualquer contexto, você provavelmente vai ter que olhar a grama do vizinho. No início, você pode ficar receoso de copiar, mas se não tiver repertório, talvez seja melhor isso do que não fazer nada. Mas, é claro, eu não estou falando e fazendo apologia à uma cópia despudorada. Existem limites e meios para você não copiar, mas adaptar ideias e criar o seu próprio caminho. Saiba que esse é um dos grandes segredos de sucesso da cultura pop.

Quando falo de cultura pop, refiro-me a uma representação artística que tem grande difusão na mídia e que aspira a atingir um público cada vez maior. Falo do movimento do *pop art* que se iniciou principalmente nas artes plásticas, ligado ao pintor e cineasta americano Andy Warhol – que registrou os rostos de famosos do

7. As evidências da evolução das espécies em nosso planeta apontam que todos nós somos cópias de genes ancestrais com ligeiras modificações. Essas pequenas modificações (combinação e remixagem da informação genética) foram e são responsáveis por gerar a variabilidade genética e traços que todas as espécies detêm. Para mais informações, leia o livro *Evolução: o sentido da biologia*, escrito pelos brilhantes professores e pesquisadores Diogo Meyer e Charbel Niño El-Hani. MEYER, Diogo; EL-HANI, Charbel Niño. *Evolução*: o sentido da biologia. São Paulo: Editora Unesp, 2005.

cinema como Marilyn Monroe e Elizabeth Taylor. O movimento artístico explodiu nos meios de comunicação, em uma época que coincidiu com o auge do cinema e da televisão e com a ascensão de bandas e artistas, como The Beatles.

Outra importante característica da cultura pop é que ela produz e alimenta produtos voltados para um público essencialmente jovem, exercendo influência sobre ele, principalmente na moda e no estilo. É o que aconteceu com a banda The Who, nos anos 1960, quando ocorreu uma popularização de estilo de roupas coloridas e calças justas. Ou então, mais recentemente, do K-pop, gênero musical originado na Coréia do Sul que contagia muitos jovens brasileiros.

Na esteira desse movimento, não podemos nos esquecer das histórias em quadrinhos, dos heróis da Marvel, de jogos de RPG como Dungeons & Dragons e, claro, dos *videogames*. Se a música influenciou até hoje o estilo dos jovens e o modo como se vestem, os *videogames* modificaram a maneira como as crianças brincam e aprendem. Jogos clássicos como Pac-Man, Super Mario Bros., Sonic e Donkey Kong sequestraram parcialmente as crianças das ruas e apresentaram um novo jeito de agir sobre o mundo, interagindo, inclusive, com outras dimensões de universos virtuais fictícios.

Mas é importante destacar: as crianças não apenas jogam, elas também leem sobre o jogo – saiba que a Minecraft Wiki é uma das maiores enciclopédias digitais do mundo, recebendo contribuições e dicas de jogadores do mundo todo. Para descobrir os macetes do jogo, as crianças leem e assistem a muitos vídeos, ou seja, consomem outros produtos criados pelos próprios jogadores. O desafio apresentado no *game* acende o pavio da curiosidade nas crianças, motivando-as a buscar informações para solucioná-lo.

Nessa busca, as crianças entram em contato com outros conteúdos e conhecem também formas diferentes de contribuir e produzir para seus pares.[8]

Foi assim que o YouTube cresceu e deu uma guinada importante com as famosas *lives* e partidas gravadas pelos próprios jogadores (muitos deles crianças e adolescentes). Hoje, a Twitcam é uma poderosa plataforma, na qual milhares de jogadores se conectam para ver outros jogadores em ação.

Esse fenômeno nos conduz à primeira lição que devemos aprender com a cultura pop: **transforme seus conteúdos em desafios e desperte a curiosidade do aluno para que ele possa navegar por outros mares, descobrindo novos assuntos e conteúdos por conta própria.**

Com a ascensão das mídias sociais, os fãs passaram a participar cada vez mais ativamente da produção e da distribuição dos produtos culturais. E a cultura pop se consolidou como movimento de época porque passou a escutar ativamente seus fãs. Vamos conhecer dois exemplos rápidos, um que envolve o lançamento de um filme e outro sobre a ação criativa de uma jovem que criou um programa de letramento midiático e pedagógico informal inspirado nos livros de Harry Potter.

Exemplo 1: no início de 2019, a internet foi sacudida com a apresentação do visual de um dos personagens mais queridos pela geração *gamer*: Sonic, o porco-espinho azul. Os fãs ficaram assustados com a versão *live-action* do personagem e teceram

8. Aqui me refiro à aprendizagem tangencial. Para mais informações, recomendo a leitura da seguinte referência: WEXELL-MACHADO, Luís Eduardo; MATTAR, João. Aprendizagem tangencial: revisão de literatura sobre os usos contemporâneos do conceito. *Revista EducaOnline*, V. 11, n. 1, 2017. Disponível em: <http://www.latec.ufrj.br/revistas/index.php?journal=educaonline&page=article&op=view&path%5B%5D=904>. Acesso em: 29 fev. 2020.
Assista ao vídeo *Video Game and Learning* de Daniel Floyd para entender melhor o conceito de aprendizagem tangencial. Disponível em: <https://youtu.be/rN0qRKjfX3s>. Acesso em: 29 fev. 2020.

tantos comentários negativos que a Paramount decidiu refazer o personagem e adiar o lançamento do filme para 2020. Todavia, mais do que criticar, alguns fãs decidiram recriar o Sonic por conta própria e publicá-lo em suas contas pessoais no Twitter.[9]

Exemplo 2: no livro *Cultura da convergência*,[10] Henry Jenkins relata um exemplo interessante de um grupo de crianças dos Estados Unidos que não esperou J. K. Rowling lançar a continuação da saga de *Harry Potter* e resolveu criar suas próprias histórias alternativas. Heather Lawver, uma menina de 13 anos, lançou na internet o *The Daily Prophet* (*O profeta diário*). Hoje o site está fora do ar, mas você pode encontrar informações no blog da Heather.[11]

Heather criou uma espécie de jornal escolar, no qual dava continuidade às histórias de J. K. Rowling, autora de *Harry Potter*. A jovem começou então a encorajar seus colegas para participar da publicação – se colocando no papel de um personagem que vive em Hogwarts –, por causa de frustrações com a escola ou com a família. Ela pensou no jornal como um recurso para superar um evento traumático ou para compensar a hostilidade de crianças de sua comunidade. De fato, as crianças usam histórias para fugir de certos aspectos da sua vida, ou para reafirmá-los.

Ela então começou a receber histórias de outras crianças e notou que cometiam erros na hora de estruturar suas ideias. Por isso, Heather não publicava as histórias imediatamente, mas pedia para a criança autora revisar o texto e enviava sugestões de mudança na

---

9. GUIMARÃES, Clara. A internet odiou tanto o trailer de *Sonic* que decidiu corrigir o personagem. *Olhar Digital*. 2 mai. 2019. Disponível em: <https://olhardigital.com.br/noticia/a-internet-odiou-tanto-o-trailer-de-sonic-que-decidiu-corrigir-o-personagem/85358>. Acesso em: 29 fev. 2020.

10. JENKINS, Henry. *Cultura da convergência*. São Paulo: Aleph, 2009.

11. Veja o blog da Heather, disponível em: <https://www.heathershow.com/dailyprophet/>. Acesso em: 29 fev. 2020.

ordem das palavras, correções gramaticais etc. O feedback inspirava o colaborador a escrever mais e melhor. Heather tratou de selecionar os fãs com mais experiência e formou uma comissão específica para revisar os textos recebidos. Com os textos na *web*, os alunos recebiam muitos comentários e elogios para continuar escrevendo.

Agora preste bem atenção. Não surpreende que alguém que tenha acabado de publicar seu primeiro texto on-line e tenha recebido dezenas de feedbacks ache decepcionante voltar à sala de aula, onde seu trabalho será lido apenas pelo professor. Fora da sala de aula, Heather e seus amigos estavam forjando uma pedagogia informal, na qual cada um se desenvolvia a partir do feedback não de um único mentor, mas de seus pares.

A história de letramento midiático por meio das histórias de *Harry Potter* ganhou outro capítulo com a aquisição dos direitos autorais pela gigante Warner Bros., que passou a perseguir as crianças que gerenciavam o jornal (segundo o autor Henry Jenkins, mais de cem crianças na época cuidavam da publicação). A perseguição foi endossada por um grupo de religiosos que viam as crianças mais antenadas em livros que falavam sobre bruxos, vassouras mágicas e espectros da morte do que em livros sagrados que contavam a histórias de Davi, Jesus e seus apóstolos.

Mas Heather não se calou. A jovem editora criou uma organização, a *Defense Against the Dark Arts* (Defesa contra as artes das trevas). Heather angariou milhares de assinaturas em um abaixo-assinado contra a Warner. Ela chegou a discutir o assunto em um programa de TV da MSNBC. A polêmica ganhou o noticiário e rapidamente a Warner recuou. Diane Nelson, vice-presidente da organização, reconheceu publicamente que a reação jurídica do estúdio tinha sido "ingênua" e resultado da falta de comunicação.

Por conta desse conflito, a Warner desenvolveu uma política mais cooperativa para envolver os fãs de *Harry Potter*, semelhante à que George Lucas procurou estabelecer com os fãs de *Star Wars*.

O exemplo da mudança de personagem do Sonic pela Paramount nos ensina sobre a importância de **escutar ativamente nossa audiência, entender seus anseios e se mostrar sempre aberto às mudanças durante o processo de ensino e aprendizagem.** Assim, ao se planejar uma sequência didática gamificada, você precisa antes coletar dados sobre o que motiva os alunos e criar uma estrutura flexível, na qual se pode fazer um ajuste de rotas durante a jornada.

Já o exemplo de Heather e o jornal inspirado nos livros de *Harry Potter* nos ensina sobre a **importância de valorizar conteúdos recreativos, que os alunos comentam e se importam de verdade.** Pense em canais de comunicação entre os alunos para além da sala de aula, nos quais eles podem trocar, criar e aprender uns com os outros. Plataformas EAD, fóruns, grupos de Facebook, WhatsApp – todos são meios interessantes para os alunos interagirem e consumirem conteúdos que gostam e que tenham uma relação com os objetivos pedagógicos do professor. Nesse aspecto, a gamificação é uma estratégia muito importante para motivar a participação do aluno nesses ambientes.

No caso do exemplo da Heather, podemos facilmente identificar os pilares da teoria da autodeterminação em sua ação cibernética. Primeiro, ela dava carta branca quanto ao desenvolvimento das histórias pelos colaboradores, isto é, autonomia. Mas isso não significava publicar o que lhe desse na telha. Ela incentivava os alunos oferecendo feedbacks e caminhos para que pudessem se autodesenvolver, adquirindo maior senso de competência na escrita e na organização das ideias. Ao publicar os textos, os alunos recebiam melhores feedbacks dos leitores, estabelecendo-se também uma relação social mais ampla.

A cultura pop também ensina que **para inovar não é necessário reinventar a roda**. Como falei no início, inovação tem mais a ver com combinação, cópia e remixagem do que com criação e originalidade propriamente dita. Veja o caso, por exemplo, do modelo de *talk show* apresentado antigamente por Jô Soares, praticamente uma cópia do programa norte-americano de David Letterman. Tatá Werneck, Danilo Gentile e Rafinha Bastos têm programas muito parecidos com os de Jimmy Fallon. A apresentadora Xuxa Meneghel cortou o cabelo, mudou a vestimenta e apostou em um clone tropical de Ellen DeGeneres, uma das apresentadoras de maior sucesso nos Estados Unidos. Em seus clipes, a cantora Anitta não hesita em reproduzir elementos do estilo de Beyoncé e Demi Lovato. Mas falando assim, até parece que os brasileiros copiam e os norte-americanos inovam. Não é bem assim. O documentário *Everything is a Remix*, dirigido por Kirby Ferguson, mostra como toda invenção advém de uma cópia.[12]

No documentário, fala-se como Led Zeppelin fez sucesso no mundo copiando estilos musicais de outros artistas. E, no despertar de seu enorme sucesso, a banda mudou o status: passou de copiadora para copiada por outros grupos, como Aerosmith, Heart, Boston e até Eminem. Na segunda parte, Kirby fala que transformar o velho no novo é um dos maiores talentos de Hollywood: livros viram filmes, que viram musicais ou vice-versa. *Videogames* viram filmes, que depois viram desenhos e até seriados de TV e vice-versa.

12. Assista ao documentário legendado produzido por Kirby Ferguson. Disponível em: <https://vimeo.com/32677841>. Acesso em: 29 fev. 2020.

As continuações de *007*, do temível Jason e de *Star Wars* são alguns dos exemplos mais conhecidos da estratégia de remixagem e lançamento infinito. A esses processos de cópias e reproduções "imperfeitas", Kirby dá o nome de cultura de remixagem. Logo, ele não fala em uma cópia literal, no estilo Ctrl+C e Ctrl+V, mas na combinação ou edição de material já existente para produzir algo novo – mesmo que não seja tão novo assim. Dessa forma, podemos falar sobre a quinta lição que professores podem aprender com a cultura pop: **tudo é uma cópia, combinação ou reaproveitamento de ideias preexistentes**.

Se até a rainha dos baixinhos e uma das bandas mais incríveis do rock puderam copiar, por que há tanta resistência ainda no modelo de cópia e remixagem na sala de aula? Muitos professores se preocupam com o fato de as crianças estarem copiando o conteúdo ou a ideia de uma mídia preexistente, em vez de criar os próprios trabalhos originais. É claro que é necessário impor limites a isso, especialmente no que diz respeito a citar a fonte original, respeitar o direito autoral e evitar uma cópia literal. A cópia seguida de uma remixagem (mesmo que mínima) é um tipo de aprendizagem. Como destaquei nos exemplos, é importante compreender que jovens artistas sempre aprendem com os mestres consagrados e seguem seus padrões. As expectativas sobre expressões originais são um fardo difícil para qualquer um em início de carreira, imagina para uma criança ou adolescente da educação básica?

Se falo sobre essas lições da cultura pop em relação aos alunos, o mesmo raciocínio deve ser aplicado aos professores. A partir disso, vem a sexta lição: **se você não sabe por onde começar o seu plano de aula, sua palestra ou workshop gamificado,**

inspire-se em modelos prontos! Adicione aos poucos o seu toque, mas tire primeiro o branco do papel. Jamais fique olhando para o cursor piscar em sua tela. Escreva, mesmo que copiando literalmente uma parte de um livro, de um site ou qualquer outro material que estiver disponível. Comece! Depois você volta ao trecho copiado e entrelaça com outras ideias e com outros raciocínios. Vai modificando aos poucos e adicionando o seu toque pessoal.

Reforço isso simplesmente porque criar sequências didáticas inovadoras, especialmente permeadas por narrativas gamificadas não é uma tarefa trivial. Quando apresento uma proposta didática para algum amigo, diretor de escola ou consultor, muitos me retornam: "Tiago, de onde vêm tanta ideia?". Respondo, claro, que vêm de inspirações de livros, programas de TV, seriados, jogos. Enfim, tudo o que eu consumo enquanto mídia audiovisual. Não me limito a exemplos de livros didáticos, muito menos à lógica erudita e acadêmica de falar difícil como sinal de inteligência suprema. Se for pensar, muitas das minhas iniciativas educacionais são peças metafóricas entre a mensagem que quero passar com o contexto que os meus alunos conhecem e estão vivendo. E aproveitando esse ganho sobre a linguagem mais popular e acessível ao público, vale aprofundarmos essa discussão olhando para as animações que conquistam plateias do mundo inteiro, as da Pixar.

Lição	O que fazer
Desafio e autonomia	Transforme seus conteúdos em desafios e desperte a curiosidade do aluno para que ele possa navegar por outros mares, descobrindo novos assuntos e conteúdos por conta própria.
Escuta ativa e flexibilidade	Escute ativamente sua audiência, entenda seus anseios e se mostre sempre aberto a mudanças durante o processo de ensino e aprendizagem.
Significado e relevância	Valorize conteúdos recreativos que os alunos comentam e com que se importam de verdade.
Cópia e remixagem	Se você não sabe por onde começar o seu plano de aula, sua palestra ou seu workshop gamificado, copie! Adicione aos poucos o seu toque, mas tire primeiro o branco do papel.

Quadro 1.1
Fonte: O autor.

PIXAR: uma fábrica de sonhos na educação

A Pixar revolucionou o mundo com suas animações computadorizadas impecáveis, porém, mais do que tecnologia, a Pixar chama a atenção de milhões de espectadores porque se conecta a eles por meio da linguagem pop lidando com valores universais e culturais da espécie humana. *Vida de inseto* (1998)[13] é um filme que fala essencialmente sobre inovação e colaboração. Muitas vezes, para mudar o mundo, é necessário partir para outros lugares, criar novas amizades e se fortalecer como fez Flik ao abandonar seu formigueiro e ir em direção à cidade. Já *Toy Story* (1995)[14] fala

13 Confira um trecho do filme *Vida de inseto*, lançado em 1998. Disponível em: <https://youtu.be/znXehHytQcM>. Acesso em: 29 fev. 2020.

14. Confira o trailer oficial de lançamento de *Toy Story* em 1995. Disponível em:<https://youtu.be/v-PjgYDrg70>. Acesso em: 29 fev. 2020.

sobre a importância da amizade, discute o ciúme de um brinquedo caubói em relação a um astronauta tecnológico – tema complexo, mas que se transforma em algo leve e divertido.

Procurando Nemo (2003)[15] destrincha a saga de um pai inexperiente e protetor que precisa vencer seus medos em busca de seu filho num oceano aberto, repleto de desafios. *Monstros S.A.* (2001)[16] é mais um exemplo incrível que nos faz refletir sobre a quebra de estereótipos, diversidade e a importância das relações humanas no trabalho e das mudanças organizacionais.

Já o longa *Os incríveis* (2004)[17] segue a linha de *Procurando Nemo* em sua mensagem familiar. *Carros* (2006)[18] questiona o significado da vitória, oferecendo importantes lições morais ao protagonista Relâmpago McQueen. *Ratatouille* (2007)[19] é um filme surpreendente que mostra um rato ministrando uma cozinha sob o chapéu de um cozinheiro humano bastante atrapalhado. Remy, o pequeno rato, é a materialização da mensagem principal do filme: a importância de buscar um sonho e a coragem para se livrar das amarras naturais e sociais que o impedem de fazê-lo. E o que falar do robô fofo *Wall-E* (2008)?[20] Esse filme é um dos meus prediletos e apresenta uma mensagem relevante sobre o meio ambiente e o futuro do planeta Terra. O robô Wall-E se apaixona por Eve, uma conexão que enche os olhos dos espectadores. O que impressiona é que os

15. Confira um trecho do filme *Procurando Nemo*, lançado em 2003. Disponível em: <https://youtu.be/TpkmyYZeUkc>. Acesso em: 29 fev. 2020.

16. Confira um trecho do filme *Monstros S.A.*, lançado em 2001. Disponível em: <https://youtu.be/7tPlVIZ-OqE>. Acesso em: 29 fev. 2020.

17. Confira um trecho do filme *Os incríveis*, lançado em 2004. Disponível em: <https://youtu.be/P7KMDFpqXqk>. Acesso em: 29 fev. 2020.

18. Confira um trecho do filme *Carros*, lançado em 2006. Disponível em: <https://youtu.be/XEfeRvorKlM>. Acesso em: 29 fev. 2020.

19. Confira um trecho do filme *Ratatouille*, lançado em 2007. Disponível em: <https://youtu.be/6ZC10LASt8I>. Acesso em: 29 fev. 2020.

20. Confira o *trailer* do filme *Wall-E*, lançado em 2008. Disponível em: <https://youtu.be/m5_IluBXKWk>. Acesso em: 29 Fev 2020.

dois personagens principais não falam nenhuma palavra, somente emitem sinais e ruídos sonoros. Mas, mesmo assim, é possível sentir a conexão amorosa entre os dois, atingindo o ponto alto do filme: mostrar que os sentimentos dos robôs também são os nossos.

Perceba que todos os filmes da Pixar têm o compromisso de passar uma mensagem que se conecta de alguma forma com todos. É um desafio e tanto fazer isso, mas eles escolheram uma estrutura e ingredientes bem conhecidos pela literatura de contos de fada focada em aventura, desafios, magia, comicidade e metáforas. Daí vem a sétima lição: **transforme seu conteúdo em metáforas e desafios, recheado de magia e com uma pitada de comicidade.** Hoje, o que mais se fala é sobre a importância de ensinar as chamadas competências socioemocionais para as crianças; e por que não utilizar o contexto de *Vida de inseto* para destacar o trabalho em grupo, ou então de *Divertida Mente* (2015)[21] para mostrar a importância da tristeza? Você pode criar percursos gamificados contextualizados por esses cenários, todos já bem conhecidos e amados pelas crianças. Veja, você não precisa criar uma história/narrativa toda nova, elas já existem e você pode utilizá-las para inspirar seus alunos para que eles interajam com o seu material e se conectem de forma plena e rica, principalmente, com a sua intencionalidade pedagógica.

21. Confira o *trailer* do filme *Divertida Mente*, lançado em 2015. Disponível em: <https://youtu.be/LSpeM7G4zfY>. Acesso em: 29 fev. 2020.

GAMIFICAÇÃO
e cultura pop na sala de aula

O autor israelense Yuval Noah Harari, professor de história na Universidade Hebraica de Jerusalém, que escreveu os dois grandes *best-sellers Sapiens* e *Homo-Deus*, disse em um encontro de educação, em São Paulo, que não sabemos, pela primeira vez, o que ensinar às nossas crianças.[22] Não temos certeza de quais serão os conteúdos válidos daqui a vinte, trinta ou quarenta anos. Na concepção de Bauman (2013),[23] essa incerteza é um reflexo direto dos tempos líquidos em que vivemos. Mas o que isso quer dizer? Que as coisas mudam muito rapidamente. Segundo o filósofo polonês, nada é para durar, nada é capaz de manter a mesma forma por muito tempo. Porém, há uma questão a considerar: mesmo que eu não saiba o conteúdo, é fundamental entender que o interesse e a curiosidade de uma criança e um jovem devem ser despertados.

Com esse mundo saturado de informações e da possibilidade de satisfazer as necessidades mais básicas do ser humano por meio de um simples smartphone, é preciso que a sala de aula se inspire para além dos escritos e dizeres de doutores e pensadores da educação moderna e pós-moderna do século XIX e XX. A consciência crítica de um professor cresce quando ele reconhece que, neste mundo líquido, a educação está também na mídia, nos movimentos sociais e nos espaços públicos de encontro da diversidade. Ao fazer isso, o professor amplia sua visão e possibilita diferentes

22. Para conhecer mais as ideias de Harari, recomendo assistir a sua entrevista dada ao programa *Roda Viva* em 11 de novembro de 2019. Disponível em: <https://youtu.be/pBQM085IxOM>. Acesso em: 01 mar. 2020.

23. BAUMAN, Zygmunt. *Sobre educação e juventude:* conversas com Ricardo Mazzeo. Rio de Janeiro: Zahar, 2013.

formas de transformar o seu espaço de aprendizagem em algo popular, ou seja, pop.

A sala de aula precisa ser curiosa e desafiadora, capaz de manter o interesse do estudante sobre o que está surgindo e abrir-se para o novo permanente que a nossa tecnologia provoca. Por isso, insisto que a cultura pop e os *games* carregam elementos riquíssimos por meio dos quais professores devem se basear e se inspirar quando planejam alguma atividade ou experiência de aprendizagem.

Mas, veja bem, esse cenário incerto e fluido não demanda uma educação esvaziada de conteúdo, muito menos uma experiência de pura diversão. Mais uma vez, embora a gamificação flerte com o lúdico e reconheça seu papel significativo na aprendizagem, trabalhar com cultura pop e gamificação em sala de aula está muito distante de criar exclusivamente entretenimento para os alunos. Você pode até fazer isso, mas saiba que estará usando o conceito de gamificação de forma muito limitada e até equivocada.

Para evitar que isso ocorra, é muito importante que você entenda, de fato, o que é gamificação, o que não é e seus principais equívocos – que costumo chamá-los genericamente de "*gamemitos*". Esses são exatamente os tópicos que discutirei no próximo capítulo.

2 O QUE É **GAMIFICAÇÃO?**

Gamificação é uma estratégia que usa os elementos, o pensamento e a estética dos jogos no mundo real, visando à modificação do comporamento das pessoas.

Como comentei no capítulo anterior, os *game designers* incorporaram de forma muito rápida pressupostos básicos da psicologia da motivação e mostraram como os *games* podem motivar os jogadores a se envolverem de modo muito profundo e duradouro com a experiência de jogo. Assim, começou-se a pensar no uso dos elementos dos jogos em outros contextos, como em serviços e produtos. Essas ideias ganharam lastro, principalmente após a viralização do TED da *game designer* norte-americana Jane McGonigal e a publicação de seu livro *A realidade em jogo*.[1] Com isso, diversos negócios começaram a utilizar a gamificação para motivar usuários a realizarem determinada atividade – como ocorre, por exemplo, em aplicativos de corrida (Nike Plus) e de aprendizagem de idiomas (Duolingo).[2]

---

1. MCGONIGAL, Jane. *A realidade em jogo*: por que os *games* nos tornam melhores e como eles podem mudar o mundo. São Paulo: BestSeller, 2012.

2. Duolingo é um aplicativo gamificado de aprendizagem de idiomas que pode ser usado em smartphone Android e IOS. Disponível em: <https://pt.duolingo.com/>. Acesso em: 1º mar. 2020.

Motivar pessoas é uma preocupação central para quem atua como gerente, professor ou treinador e, por isso, a gamificação começou a ganhar cada vez mais espaço na educação escolar e corporativa. A literatura sobre o tema é farta e se ramifica em diversos protocolos e *frameworks*, com o passo a passo de como estruturar e implementar a gamificação. Há uma forte fundamentação na psicologia e uma série de propostas para classificar os elementos dos jogos e relacioná-los a *cases* de sucesso da gamificação em empresas globais como Nike, Foursquare,[3] Volkswagen,[4] LG, Samsung, Coca-Cola, Heineken e Nissan.

Mas, e na sala de aula? Qual é o significado da gamificação para o professor e para os alunos? Que fique muito claro: gamificação aplicada à educação não se trata de transformar a sala de aula em um lugar de puro entretenimento, muito menos em uma *lan house* em que os alunos apenas jogam e se divertem. A gamificação aplicada à educação tem como objetivo motivar os estudantes por meio da linguagem dos jogos, valorizando a intencionalidade pedagógica do professor.

PROFESSORES **e a arte de gamificar**

A boa notícia é que os professores são os profissionais que mais criam sistemas básicos de gamificação. O que falta na verdade é uma aproximação maior com a linguagem dos *games*. Repare

3. No Foursquare os usuários faziam *check-in* quando chegavam em algum lugar. Eles ganhavam pontos e quem tinha mais *check-in* em um estabelecimento se tornava prefeito daquele local. O aplicativo era uma febre anos atrás.

4. Recomendo conhecer o site The Fun Theory que reúne uma série de iniciativas gamificadas visando à modificação do comportamento das pessoas. Disponível em: <https://goodvertising.site/the-fun-theory/>. Acesso em: 1º mar. 2020.

que, quando criamos uma avaliação, precisamos atribuir algumas regras a ela. Por exemplo, imputamos pontos a cada questão. Todas podem valer a mesma quantidade de pontos ou então algumas valem mais – por serem mais difíceis e exigirem mais dos estudantes. Costumamos fazer o seguinte: "Ah, essa pergunta de múltipla escolha vale 0,2 pontos, como há cinco perguntas, o questionário vale 1 ponto. O trabalho em grupo vale mais 2 pontos. Para finalizar o bimestre, aplico uma prova com questões discursivas e de múltipla escolha que vale 7 pontos, assim fecho meu bimestre com a soma de todas atividades valendo 10 pontos".

Ainda, com base na nota final, você atribui um conceito a cada aluno. Por exemplo, se ele tirou entre 9 e 10, é um aluno A – excelente! Se tirou entre 7 e 8, é B – ótimo. Se tirou entre 5 e 7, é C – regular. Se somou abaixo de 5, é D – insuficiente. Nesse processo, que é rotineiro a todos os professores, temos as bases da gamificação como os pontos e os *badges*, e um desenho de nível, de classificação do estudante. Não é para menos que afirmo que a todo momento professores estão criando sistemas que são, por natureza, gamificados. O que a gamificação pode agregar ao trabalho do professor em sala é transformar esse raciocínio em um processo mais leve, contextualizado, imersivo e propositivo.

Assim, as notas podem ser transformadas em pontos de experiências,[5] os quais podem ser obtidos à medida que os alunos atingem objetivos e avançam nos níveis. Conceitos podem ser transformados em *badges*[6] visuais que podem ser armazenados e colecionados, tanto digitalmente como fisicamente. As atividades podem ser transformadas em missões. Dessa forma, ao completá-la,

5. Também conhecido como XP (Experience Points). Os pontos de experiências são bastante utilizados em jogos de RPG (Role-Playing Game).

6. Os *badges* são também conhecidos como selos ou medalhas.

ganha-se XP e, por que não, moedas ou dinheiro (fictício, claro) para que o aluno possa adquirir itens. Os itens podem conferir alguma vantagem ao aluno – como eliminar uma alternativa de uma pergunta de múltipla escolha ou então o direito de consultar a internet durante uma atividade em que não seja permitido. Os alunos podem formar times com um nome específico e juntos ganharem pontos pelas suas conquistas. Isso aumenta o sentimento de pertencimento e o trabalho em equipe. Os times, por sua vez, podem competir com outros times, reproduzindo uma dinâmica coopetitiva – colaborativa entre os estudantes e competitiva entre os grupos –, algo que ocorre em todos os esportes coletivos.

DESAFIOS PARA USAR **a gamificação na sala de aula**

É importante ressaltar que gamificação não é apenas inserir elementos de jogos como medalhas ou pontos – é preciso ter uma abordagem mais profunda. Por exemplo, percebo que os alunos valorizam muito a narrativa como elemento de contextualização e atribuição de objetivo e propósito.

Outra característica fundamental dos jogos é o feedback imediato. De forma muito rápida, os jogos respondem se o jogador está performando bem ou não. E, quando pensamos na gamificação em sala de aula, reproduzir essa última característica dos jogos, a do feedback instantâneo, não é uma tarefa nada trivial. Em geral, aplicamos uma prova e depois de uma semana ou até mais retornamos com elas corrigidas. Demora-se tanto que muitas vezes o aluno nem se lembra mais do conteúdo avaliado. Hoje, a tecnologia tem encurtado esse tempo. Por exemplo, é possível utilizar um Google Forms ou um Kahoot![7] como ferramentas que oferecem feedbacks imediatos para os estudantes. Em tempo real, os alunos sabem se acertaram ou não uma determinada pergunta. Essa resposta é muito poderosa, pois os motiva de modo muito mais efetivo e ajusta o seu comportamento em tempo real – assim como faz os jogos.

Outro desafio para o professor quando utiliza gamificação é o gerenciamento das informações, como a quantidade de pontos, distribuição das medalhas, a progressão nos níveis, dentre outras coisas. Não é fácil fazer isso. São horas e horas tabulando notas de trabalhos e provas convencionais dos alunos. Dependendo do desenho da sua gamificação, esse processo pode ficar muito mais extenso e meticuloso, tornando-se mais demorado e enfadonho. É então que entra a importância dos recursos tecnológicos para facilitar o registro e o compartilhamento das informações com os estudantes. As tecnologias digitais, nesse sentido, auxiliam o professor a reproduzir de forma mais contundente a estética, o pensamento e os elementos de jogos em sala de aula.

O QUE NÃO É **gamificação**

Escolas e empresas, no geral, andam muito mal informadas sobre o conceito de gamificação e, a exemplo do que ocorre no campo da neurociência, são vítimas de especulações e mal-entendidos que

7. Kahoot! é uma plataforma onde se pode criar questionários interativos e compartilhar com os alunos em sala de aula. Em tempo real, eles acompanham sua performance, bem como o número de pontos adquiridos. É superdivertido e os alunos gostam bastante. Disponível em: <https://kahoot.com/schools/>. Acesso em: 1º mar. 2020.

alimentam os chamados **NEUROMITOS**. A falta de zelo e análise profunda sobre a gamificação tem gerado diversos equívocos acerca do termo. Esses chamo, genericamente, de **GAMEMITOS**.

Vejamos os cinco maiores deles a seguir:

1. Gamificação é criar e utilizar jogos de tabuleiro ou digitais.
2. *Game* e gamificação têm os mesmos propósitos.
3. Gamificação visa ao divertimento.
4. Gamificação é sinônimo de entretenimento.
5. Gamificação usurpa as pessoas.

Vamos desfazê-los um a um, começando pelo mais enraizado.

1

Gamificação não é o mesmo que criar e utilizar jogos.

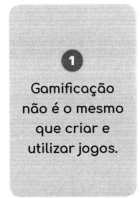

Esse é o primeiro *gamemito* que desfaço quando realizo uma palestra sobre o tema. Gamificar não é a mesma coisa que jogar um jogo ou então transformar palestras, aulas, reuniões ou treinamentos em um jogo. Esse tipo de conceituação, embora possa fazer certo sentido, não é coerente com a definição da metodologia e sua aplicação prática.

Nesse sentido, vale a pena fazer uma diferenciação conceitual. Segundo **Karl Kapp (2012, p. 125),**[8] "gamificação é o uso **das mecânicas baseadas em jogos, da sua estética e lógica para engajar as pessoas, motivar ações, promover a aprendizagem e resolver problemas em contextos de não jogos**".

Essa diferença é reforçada por outros especialistas da área como Kevin Werbach,[9] Brian Burke,[10] Andrzej Marczewski,[11] dentre outros. Embora os conceitos estejam relacionados, um não é sinônimo do outro, são bem distintos e essas diferenças precisam ser levadas em consideração no momento de apresentar soluções gamificadas.

O segundo *gamemito* é mais discreto, mas seu entendimento é muito importante para compreender o valor da gamificação enquanto método para transformar o mundo.

2

Game é produto, gamificação é processo.

A Khan Academy é uma plataforma de aprendizagem de conteúdos escolares. Ela é um produto. Você pode acessá-la via aplicativo ou página *web*. Agora, dentro do produto Khan Academy, há um processo de gamificação que motiva o usuário a cumprir as atividades, assistir os vídeos e estudar cada vez mais por meio de barra de progresso, *badges* e

8. KAPP, Karl M. *The Gamification of Learning and Instruction*: Game-based Methods and Strategies for Training and Education. Washington: Pfeiffer & Company, 2012.

9. O professor Kevin Werbach tem vários livros publicados, o que mais gosto é o *For the Win*: How *Game Thinking Can Revolutionize Your Business*, em coautoria com Dan Hunter. Werbach também tem um curso gratuito sobre gamificação publicado na plataforma Coursera. Vale muito a pena conferi-lo. Disponível em: <https://pt.coursera.org/learn/gamification>. Acesso em: 1º mar. 2020.

10. BURKE, Brian. *Gamificar*: como a gamificação motiva as pessoas a fazerem coisas extraordinárias. São Paulo: DVS Editora, 2015.

11. Conheça o site deste incrível autor sobre gamificação. Disponível em: <https://www.gamified.uk/>. Acesso em: 1º mar. 2020.

pontos ganhos por atividade cumprida. Notou a diferença? *Games* são experiências fechadas, enquanto gamificação é um processo aberto.

Figura 2.1
Fonte: O autor.

O que quero dizer com isso? *Games* costumam ter início, meio e fim – é um produto que se cria e se distribui comercialmente ou não. Por outro lado, gamificação é um processo que se implanta, que modifica a experiência do usuário em uma atividade e resolve um problema de engajamento ou motiva mudanças específicas de comportamento.

Embora dentro de um jogo de tabuleiro ou digital o jogador resolva muitos problemas propostos pelo *game designer* e adquira inúmeras habilidades no âmbito cognitivo, emocional e social, dificilmente essas aprendizagens terão um impacto direto e imediato sobre o mundo fora do jogo.

Processos gamificados buscam impacto direto e imediato para além do jogo. No âmbito da sala de aula, significa: mais motivação do aluno ao entrar em contato com a proposta do professor, consumo maior de material disponibilizado, mais trocas de experiências, mais colaboração entre os alunos (ou competição também – tudo depende como o processo é planejado e aplicado), mais frequência nas aulas etc.

3

Gamificação não diz respeito exclusivamente ao divertimento.

O terceiro *gamemito* é emblemático. Embora pareça contraintuitivo, a gamificação não está associada à ideia pura de divertimento. Muitas pessoas partem da premissa de que é possível tornar todas as atividades divertidas acrescentando pontos e *badges*, como em um jogo.

Há inúmeros sites, blogs, consultores e artigos que afirmam que a gamificação pode tornar atividades laborais e de aprendizagem mais divertidas. Jesse Schell,[12] professor de tecnologia do entretenimento na Carnegie Mellon University, compara a gamificação à adição de cobertura de chocolate em cima de pratos salgados – como queijo *cottage* ou brócolis, por exemplo – ou, inclusive, de coisas que nem são alimentos – como grampeadores. O chocolate de fato torna alguns itens mais saborosos, porém esse efeito não é universal.

Na verdade, ele até brinca que a atitude de acrescentar chocolate a tudo é um fenômeno de **"chocolatificação"** um efeito colateral do excesso de gamificação ou de seu uso indevido em diversos contextos. Para ilustrar, recomenda imaginar uma porção de brócolis coberto com chocolate.

Na mesma linha, é um mito acreditar que gamificação é um mar cor-de-rosa, uma espécie de babá perfeita como *Mary Poppins*.

12. SCHELL, Jesse. *The Art of Game Design*: A Book of Lenses. Massachusets: A K Peters/CRC Press, 2014.

Aulas, formações e consultorias em gamificação não são apenas experiências de treinamento animadas e motivadoras. Bons professores e consultores que trabalham com gamificação devem ser propositivos e conhecer o problema real do seu público-alvo ou fazer uso de métodos de pesquisa e síntese para que o problema seja revelado ou esclarecido. Só então devem recomendar ou não a implementação de metodologias e processos gamificados para resolver o problema em análise.

4

Gamificação não diz respeito ao entretenimento e à distração.

O quarto *gamemito* é um desdobramento do anterior. Vejamos o porquê. Enquanto *games* podem ser focados em entretenimento e distração, a gamificação tem um compromisso absoluto com a motivação e a resolução de problemas. Dessa forma, os jogos deixam as pessoas escaparem do mundo real, transportando-as para o interior do chamado círculo mágico, como bem cunhou o historiador Johan Huizinga.[13]

Já a gamificação deixa as pessoas escaparem no mundo real delas. Lembre-se de que existe um círculo mágico, mas ele não é fechado. O círculo mágico criado pela gamificação é semiaberto e está em contato direto com a realidade. Essa é a maior promessa da gamificação na verdade: transformar o mundo a partir do uso dos fundamentos da ciência da motivação e elementos do design dos jogos. Jogos de tabuleiro e digitais são inspirações, mas não o meio pelo qual se realiza a transformação propriamente dita.

13. HUIZINGA, Johan. *Homo Ludens*. São Paulo: Perspectiva, 2014.

Os jogos não têm outro propósito senão o de entreter os participantes (salvo os chamados *serious games*). Já a gamificação gira em torno de motivar jogadores a atingirem objetivos que são compartilhados pelo professor e pelo aluno jogador.

5

Gamificação não usurpa, mas engaja as pessoas.

Finalmente, o último grande *gamemito*: a gamificação, como qualquer outra metodologia ou ferramenta, é uma faca de dois gumes. Tudo depende do *design*, propósito e uso dela no contexto escolhido. Gamificação exige senso crítico e apuração ética rigorosa para separar o joio do trigo. Como qualquer outra tecnologia ou metodologia, o juízo de valor atribuído ao seu uso depende exclusivamente do ser humano que a utiliza. Como professor ou instrutor, você pode utilizar a gamificação para criar um senso genuíno de colaboração entre a turma ou, então, uma verdadeira batalha competitiva e nociva entre os alunos.

Como qualquer cozinheiro, você precisa saber escolher bem os ingredientes (elementos dos jogos) e misturá-los de forma harmoniosa (criar um bom *game design*) para obter um bom prato (resultado). O que observo é que, quando a gamificação é mal planejada e executada, o processo pode, de fato, explorar o usuário ou amargar as relações e criar um ambiente não esperado. Contudo, quando é bem-feita, engaja as pessoas e promove mudanças de comportamento, desenvolvendo habilidades e competências nos usuários, bem como aumentando a produtividade e impulsionando a inovação nos mais diversos contextos.

SEPARANDO O JOIO DO TRIGO: **jogos e gamificação**

Cada vez tenho mais certeza sobre a maior relevância de saber o que um determinado conceito não é do que é. Parece confuso, mas o princípio de exclusão é uma estratégia que nosso cérebro utiliza para escolher e abraçar com mais força um determinado conceito ou ideia. Professores, gerentes e treinadores de desenvolvimento de RH sempre me escrevem perguntando sobre gamificação, mas na realidade o que buscam é um jogo para mediar um processo de aprendizagem, transpor conceitos técnicos e facilitar a conexão social entre alunos e funcionários e integrantes de multiplicadores internos. Deixa eu esclarecer uma coisa: essa busca incessante pelo jogo só reforça a importância desse artefato nas organizações, bem como seu uso em processos de aprendizagem. A bem da verdade, gamificação não é um analgésico para todas as dores. Ela não resolve todos os nossos problemas. Muito menos o jogo pelo jogo. É muito importante entender antes de tudo qual é o problema com o qual você está lidando e o seu propósito enquanto professor ou líder de equipe.

Em relação à gamificação, muitas pessoas confundem porque é uma palavra nova, a *buzzword* que seduz e muitas vezes *gourmetiza* a prestação de serviço. Por isso, insisto: é importante diferenciar os conceitos. Para facilitar essa diferenciação, costumo mostrar em minhas palestras e treinamentos esse diagrama simples de três círculos. Ele sempre funciona e foi inspirado no livro *The gamification of learning and instruction* de Karl Kapp.

Figura 2.2
Fonte: Adaptado de *The gamification of learning and instruction*, de Karl Kapp.

Xadrez e Banco Imobiliário, assim como Mario Kart, Pac-Man e Minecraft, são jogos propriamente ditos, pois têm como finalidade básica o entretenimento dos usuários. Jogos sérios, por sua vez, podem ser utilizados de diversas formas, mas com um propósito de aprendizagem que vai além do entretenimento. Por exemplo, podemos criar *quizes* para testar ou facilitar a memorização de determinados conteúdos ou para lembrar com mais eficácia de características de um produto.

Jogos de tabuleiro podem ser utilizados para desenvolver nos alunos o senso de cooperação, destacar a importância do planejamento, do trabalho em equipe e do cumprimento das metas acordadas em um período de tempo limitado. Na mesma linha, jogos digitais como o famoso StarCraft podem ser adotados para trabalhar com planejamento estratégico e tomada de decisão.

No âmbito dos chamados *serious games*, jogos prontos e focados no entretenimento, como Minecraft, SimCity e Civilization, podem ser adaptados e utilizados com um propósito de aprendizagem mais específico. Ainda, jogos, tanto digitais quanto analógicos, podem ser criados com uma intencionalidade pedagógica explícita.[14] Quando utilizamos jogos para facilitar processos de aprendizagem, na verdade estamos falando de uma **aprendizagem baseada em jogos**.[15] Essa metodologia ativa é fabulosa, eficaz e deve ser celebrada tanto quanto as conquistas obtidas pela gamificação. Piaget, Vygotsky e Wallon defenderam em suas teorias a importância da educação mediada por jogos, visando ao desenvolvimento pleno das crianças.

A aprendizagem baseada em jogos é uma tendência que vem sendo incorporada cada vez mais na educação. Não é para menos que hoje os jogos digitais são um dos meus principais eixos de trabalho. Dessa forma, a apropriação dos jogos e de seus elementos em contextos educacionais pode ser vista em diversas configurações. Em jogos projetados especificamente para a educação, conhecidos como jogos educacionais, jogos educativos ou *edutenimento*, conteúdo e jogabilidade são criados especificamente para abordar temas de interesse de um professor.

Já a gamificação utiliza elementos e dinâmicas dos jogos, como níveis, progressões e pontuações, de forma lúdica, em ambientes ana-

14. Recomendo os jogos sérios produzidos pelo grupo de pesquisa Comunidades Virtuais da UNEB. Todos os jogos são gratuitos e contém guias de orientações para o professor utilizá-los em sala de aula. Disponível em: <http://comunidadesvirtuais.pro.br/cv/>. Acesso em: 1º mar. 2020.

15. Em parceria com a neuropsicopedagoga Ana Lúcia Hennemann, criamos a Plataforma Educacional Neurons com jogos voltados para o estímulo das funções cognitivas e outras habilidades de aprendizagem. A plataforma conta com um sistema de avaliação on-line e diversos jogos para uso no contexto clínico e educacional em crianças da Educação Infantil e Ensino Fundamental I. Disponível em: <http://clickneurons.com.br/>. Acesso em: 1º mar. 2020.

lógicos ou virtuais de aprendizagem. No que tange à aprendizagem a distância (*e-learning*) ou então à implementação de metodologias ativas como ensino híbrido e sala de aula invertida, a gamificação é uma ferramenta estratégica poderosa por motivar e engajar os usuários a participarem das atividades e discussões virtuais.

	Reprodução fidedigna da realidade	Desenhado como um *game*	Possui elementos de *game*	Usado como um *game*	Usado apenas para diversão
GAME		É um *game* propriamente dito.			
SIMULADOR VIRTUAL	Usa conceitos presentes em *games*. Não é usado para diversão, mas sim como um simulador da situação real (simulador de voo, por exemplo).				
SERIOUS GAME		É usado como um *game* (*gameplay*), mas com objetivos de aprendizagem específicos.			
GAMIFICAÇÃO		Desenhado com elementos de *games*, mas não é jogado necessariamente como *game*.			
DESIGN INSPIRADO EM *GAME*[16]		Lembra um *games*.			

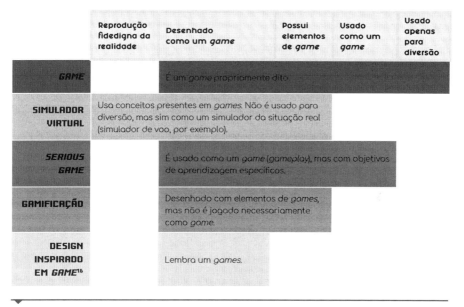

Quadro 2.1: Além das diferenças entre *games*, *serious game* e gamificação, devemos também lembrar que os simuladores e as aplicações inspiradas em *games* têm suas diferenças.
Fonte: Adaptado de Marczewski (2015, p. 15).[17]

Gamificação é um dialeto que emergiu a partir do jogo. A emergência das tecnologias digitais transformou esse dialeto primeiro em uma linguagem própria, viva e vibrante. Entenda assim:

16. É quando se faz uso de elementos de imagens, sons e interações que lembram o universo dos jogos para fins de comunicação. Por exemplo: quando uma tela de internet sai do ar ou uma sequência de *slides* em uma aula que mostra uma barra de progresso sendo preenchida.

17. MARCZEWSKI, Andrzej C. *Even Ninja Monkeys Like to Play*: Gamification, Game Thinking and Motivational Design. South Carolina: Createspace Independent Publishing Platform, 2015.

gamification é uma linguagem que pode ser aplicada em contextos não associados diretamente a jogos. Enquanto linguagem, a gamificação extrapola a estrutura do jogo e se mistura com o dia a dia do usuário – você mal percebe que ela faz parte do seu cotidiano quando utiliza LinkedIn, Waze, Instagram, Facebook ou, ainda, usa o cartão de crédito para acumular milhas e depois trocar por uma passagem área.

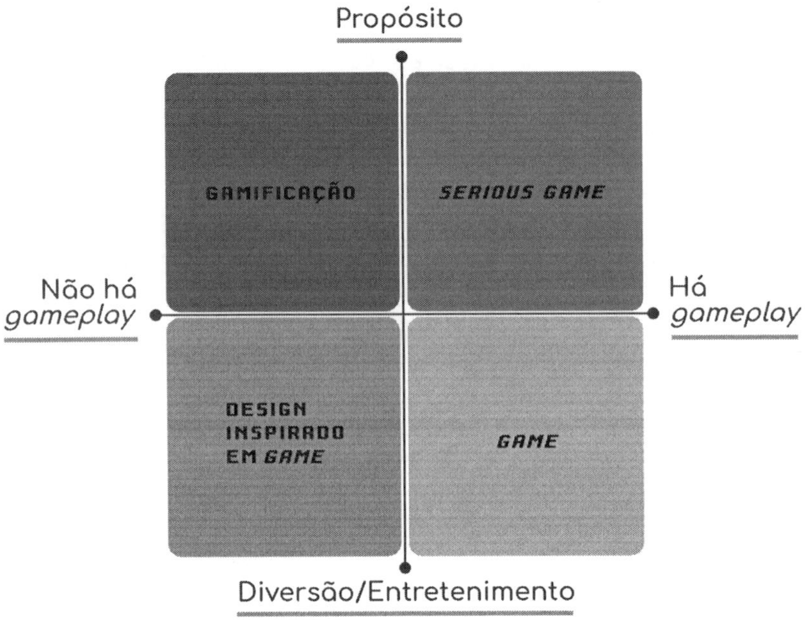

Figura 2.3
Fonte: Traduzido de Marczewski (2015).

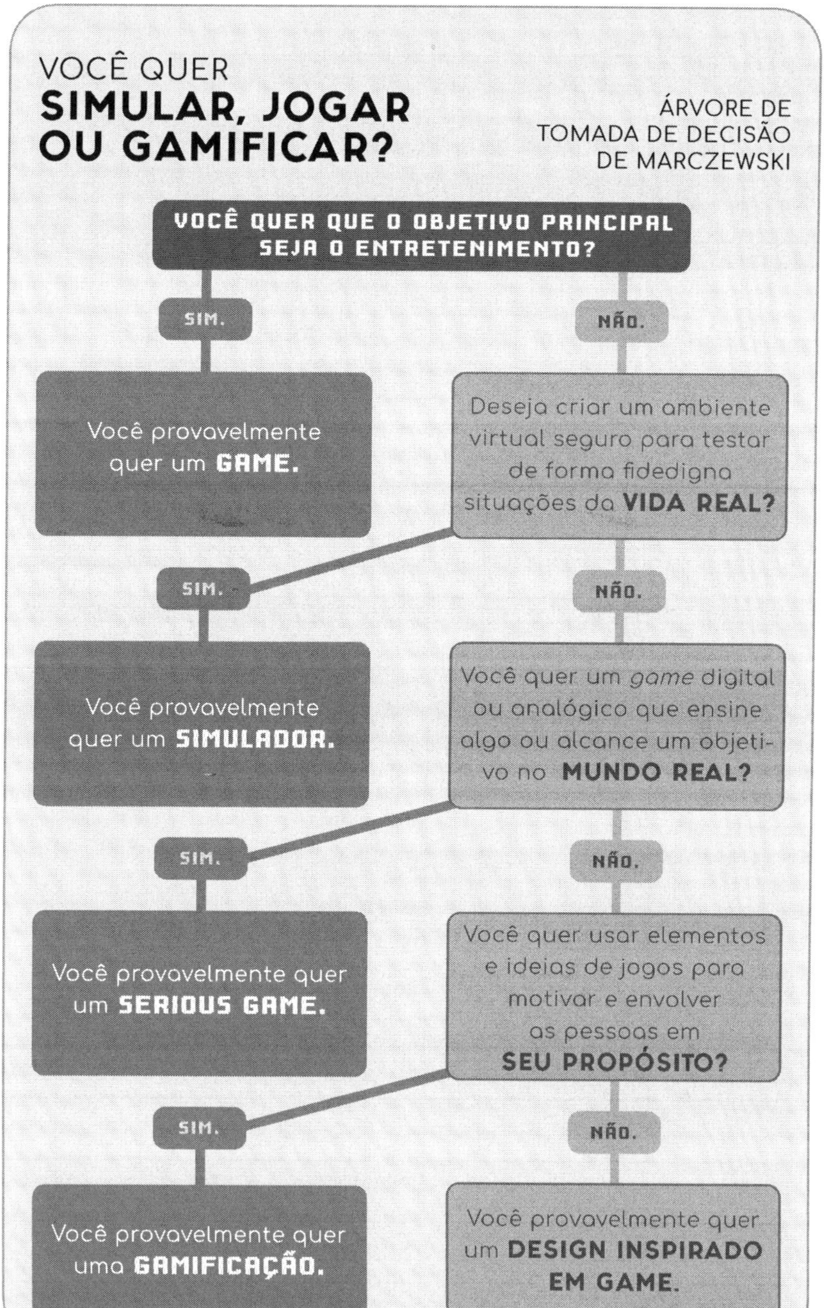

Figura 2.4
Fonte: Traduzido de Marczewski (2015).

A despeito dessas diferenças é importante destacar que o design de soluções não pode ficar refém delas. Essas especificidades não podem modelar a forma como pensamos em resolver problemas. A definição nos oferece a linguagem que precisamos para comunicar nossas ideias. No entanto, se encontramos um desafio que é mais fácil e prático de ser resolvido com o uso de um *serious game*, como para fazer a recepção de novos alunos e ensiná-los sobre o ambiente escolar ou as regras de segurança em um laboratório de ciências, criamos então um jogo sério e não oferecemos uma solução gamificada para isso. O pulo do gato está justamente em conhecer as necessidades do público-alvo e analisar ideias sobre qual é o caminho mais recomendável a seguir.

E, além de entender a natureza do conceito de gamificação, é muito importante entender quando e porque utilizar gamificação em sala de aula. Esses são os dois principais tópicos discutidos no próximo capítulo.

3 POR QUE E QUANDO USAR GAMIFICAÇÃO NA EDUCAÇÃO?

A gamificação é útil para a educação porque tem tudo a ver com o engajamento nos níveis cognitivo e emocional do aluno. É por isso que a estratégia é recomendável para um bom aprendizado. Gamificação não é jogo, mas uma estratégia com uma linguagem toda fundamentada nele. Então, vale a pena a pergunta: por que as pessoas jogam ou gostam tanto de jogar?

Muitas vezes o jogador comenta sobre o quanto é bom em determinado jogo (senso de competência), o prazer de superar um desafio e a emoção de vencer e explorar o jogo (sensação de vitória). Provavelmente, contará sobre o que se trata o jogo, qual é a história do personagem, suas motivações e objetivos dentro da jornada (contexto emocional). Comentará sobre sua evolução (progressão) nas mudanças de níveis ou como foi difícil vencer um chefão após várias tentativas (desafio cognitivo). Deve também enfatizar como criou uma estratégia para vencer e conquistar itens, medalhas e pontos no jogo (senso de conquista e posse), e ainda acerca da diversão de conhecer e colaborar ou competir com outros jogadores (interação social).

O QUE TORNA UM JOGO DIVERTIDO	IMPLICAÇÕES EMOCIONAIS	IMPLICAÇÕES PARA A GAMIFICAÇÃO
Dominar as regras do jogo.	Senso de competência.	Regras simples e rápidas de serem aprendidas. Aumento gradativo da dificuldade dos desafios (teoria do *flow*,[1] *game design*).
Alcançar um objetivo (uma vitória).	Senso de vitória e superação.	Definir uma condição de vitória. Outra possibilidade é definir diversos momentos de vitória (*game design*).
Envolver-se com a história e com os personagens.	Envolvimento emocional.	Criar um avatar, contextualização da história e demonstração clara dos personagens e de um problema a ser resolvido (*storytelling*).
Evoluir no jogo.	Progressão.	Criar uma jornada com diversas fases, níveis e apresentar um percurso claro de evolução do jogador ao longo de sua gamificação (*game design*).
Resolver enigmas, quebra-cabeças e tarefas difíceis.	Desafio cognitivo.	Criar diversos enigmas com diferentes níveis de dificuldade. Aumentar o grau de dificuldade gradativamente conforme o aumento do domínio do jogador sobre a atividade (teoria do *flow*/*game design*).
Ganhar recompensas.	Senso de conquista e posse.	Itens, *badges*, troféus, bens virtuais e possibilidade de criar coleções (*game design*).
Interagir, competir, colaborar, vencer ou perder com e/ou para outros jogadores.	Interação social.	Gráfico social, rankings, *chats*, formação de times, guildas etc. (*game design*, *learning analytics*).

Quadro 3.1
Fonte: O autor.

1. Essa teoria é um estado mental atingido quando se está totalmente envolvido em uma atividade. Foi desenvolvida pelo psicólogo Mihaly Csikszentmihalyi.

Agora, junte todas essas características e sensos percebidos e transporte para o contexto pedagógico: você gamificará sua sala de aula. Mas as justificativas para usar a gamificação vão além de entender simplesmente o que o aluno jogador costuma valorizar por meio de seus comentários. Como professor ou instrutor de cursos, seu compromisso maior é com certeza uma boa aprendizagem. E será que a gamificação é capaz de assegurar isso? As evidências científicas mostram que sim, que a gamificação pode promover um bom aprendizado.

POR QUE A GAMIFICAÇÃO **promove um bom aprendizado?**

A gamificação é uma estratégia poderosa para aprender porque incentiva e envolve o aluno. Não há aprendizagem sem engajamento. Quando um aluno está envolvido em um determinado tópico, é mais provável que o aprendizado ocorra. Se o aluno não estiver envolvido, se não estiver prestando atenção, é improvável que aprenda algo.

Saiba que a gamificação pode modular o nível de atenção e esforço de concentração, tornando-se assim uma técnica adequada e com respaldo científico para ser utilizada em processos de ensino e aprendizagem. Grande parte do típico currículo escolar exige atenção e esforço de concentração. Por exemplo, se nos sentarmos para assistir a uma aula expositiva e prestarmos pouca atenção ou nenhuma atenção, é improvável que nos lembremos do que o professor disse.

Nos últimos anos, a neurociência descobriu a existência de dois tipos de sistemas atencionais no nosso cérebro. Existe um modo padrão de funcionamento da atenção, que é bastante similar aos momentos de devaneio, relaxamento e cochilo.

Esse sistema de devaneio foi batizado pelos seus descobridores, Marcus Raichle e colaboradores, de *default mode*.[2] Esse é o modo de o cérebro descansar quando não está entregue a nenhuma tarefa objetiva. Esse modo contrasta com o estado em que ficamos ao nos concentrarmos intensamente em certo tipo de tarefa, como fazer um cálculo matemático, ler o enunciado de uma questão, revisar atentamente um texto ou seguir as instruções de um experimento de laboratório.

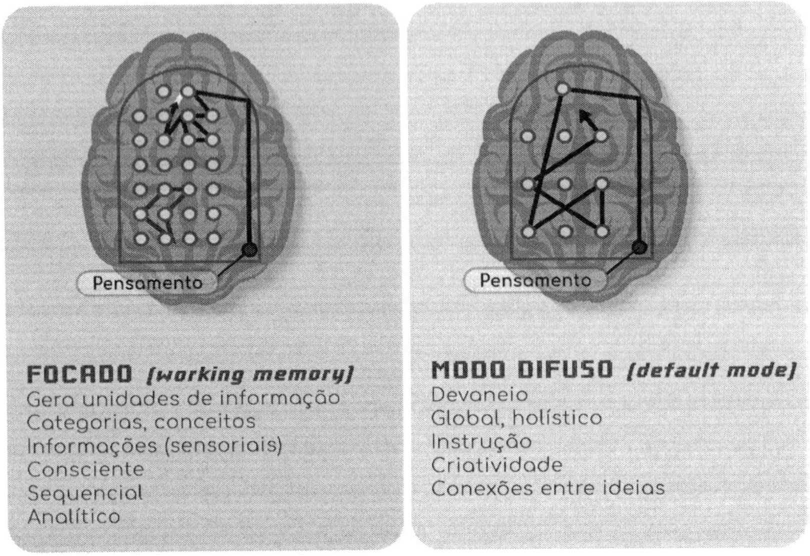

Figura 3.1
Fonte: Adaptado do curso on-line *Learning How to Learn*.[3]

2. RAICHLE, Marcus. E. et alii. A default mode of brain function. *Proceedings of the National Academy of Sciences of the United States of America*, v. 98, n. 2, 16 jan. 2001. Disponível em: <https://www.pnas.org/content/98/2/676>. Acesso em: 3 mar. 2020.

3. Curso on-line gratuito oferecido pela Universidade McMaster e pela Universidade da Califórnia, distribuído pela plataforma Coursera. Disponível em: <https://pt.coursera.org/learn/learning-how-to-learn>. Acesso em: 3 mar. 2020.

Esse modo de ater-se à tarefa é a forma dominante da atenção, responsável pelo que fazemos de alto nível – o que os pesquisadores batizaram de executivo central. O neurocientista Paul Howard--Jones e colaboradores da Universidade de Bristol mostraram que atividades gamificadas têm o poder de desativar a circuitaria neuronal envolvida no *default mode*, relacionada ao fluxo de devaneio e de conexões entre ideias e pensamentos díspares marcados pela ausência de barreiras entre sentidos e conceitos.[4]

Em um estudo com ressonância magnética funcional, os pesquisadores compararam a atividade cerebral dos participantes em três condições experimentais: 1) apenas estudo, no qual o participante observava uma questão acompanhada de uma resposta (resposta correta); nessa condição, o participante deveria selecionar apenas a única resposta para ganhar 10 pontos e visualizar a próxima questão; 2) *quiz* simples, em que o participante visualizava a questão acompanhada de quatro alternativas; ele então deveria escolher uma, dentre as quatro possíveis e, após a escolha, recebia um feedback, tomando ciência se sua resposta estava correta ou não (para cada resposta correta, recebia 10 pontos); 3) na condição baseada em jogos (*game-based*), bastante similar à condição anterior, o participante disputava os pontos com outro jogador. Além disso, o número de pontos ganhos era determinado após o jogador rodar uma roda da fortuna (recompensa incerta).

Depois de três a quatro semanas, os participantes responderam a um teste de quarenta questões para avaliar a retenção da informação. Os resultados do experimento mostraram *scores* mais altos para retenção de questões apresentadas na condição de *game-based* do que nas outras. Além disso, o estudo concluiu que condições mais

4. HOWARD-JONES, Paul A. et alii. Gamiifcation of Learning Deactivates the Default Mode Network. *Frontiers in Psychology*, v. 6, p. 1891, 7 jan. 2016.
Disponível em: <https://www.ncbi.nlm.nih.gov/pmc/articles/PMC4705349/>. Acesso em: 3 mar. 2020.

parecidas com um jogo diminuem a atividade neuronal de áreas relacionadas ao *default mode,* por exemplo a do córtex cingulado posterior e a do córtex pré-frontal medial anterior. Dessa forma, o indivíduo se distrai menos e mantém o foco e a concentração, facilitando assim a codificação da informação e sua posterior evocação.

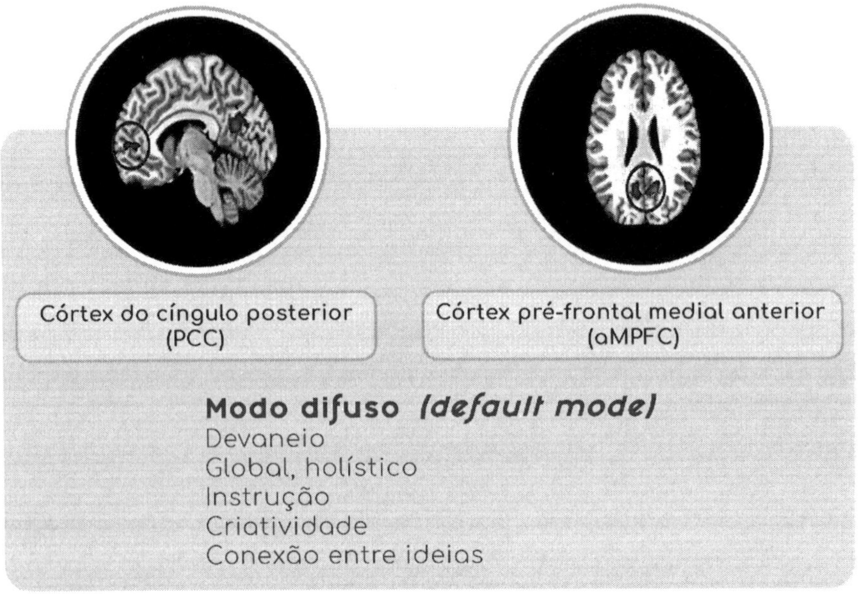

Figura 3.2: Áreas do cérebro afetadas durante uma atividade gamificada. Ambas pertencem à circuitaria neuronal relacionada ao *default mode*, ou seja, ao modo padrão de funcionamento cerebral.
Fonte: O autor.

Além disso, a gamificação fornece uma experiência de aprendizado personalizada e pode fazer com que os alunos reflitam sobre sua experiência e alterem o comportamento com base nessa reflexão. Com a gamificação, é possível alcançar um nível de personalização que promove a autonomia e o senso de autodireção, ajudando o aluno a dominar a própria aprendizagem.

Uma experiência de aprendizado baseada em uma gamificação bem projetada se move no ritmo certo para o aluno, permite a exploração e fornece incentivo suficiente para manter o jogador em movimento na trilha de aprendizagem (na segunda parte deste livro mostrarei como funciona isso na prática). Outro aspecto interessante da gamificação é que muitas vezes a reflexão é resultado da participação. Jogadores refletem sobre o que fizeram de certo e errado em uma partida. Além disso, o feedback fornecido devido a respostas incorretas impulsiona o aluno para uma eventual resposta correta. Jogadores costumam despender muito tempo trabalhando mentalmente para corrigir erros por meio de processos de repetição. Jogadores experientes repetem muitos processos, até se tornarem competentes e bons no jogo.

Isso não é diferente na vida fora do jogo. A repetição faz parte do processo de aprendizagem e jamais deve ser subestimada ou até mesmo demonizada. Nesse sentido, experiências de aprendizado gamificado incentivam a reflexão simplesmente porque os alunos querem dar o melhor de si. Diante de desafios, propósito claro e contextualizado, os alunos se dispõem a gastar tempo e energia refletindo sobre a experiência e repetindo processos.

Combinados, o engajamento, a personalização e a reflexão mediada pelo feedback imediato levam ao aprendizado. Então, é importante você usar a gamificação no contexto pedagógico não porque a gamificação seja simplesmente uma estratégia motivacional, mas também porque promove um bom aprendizado.

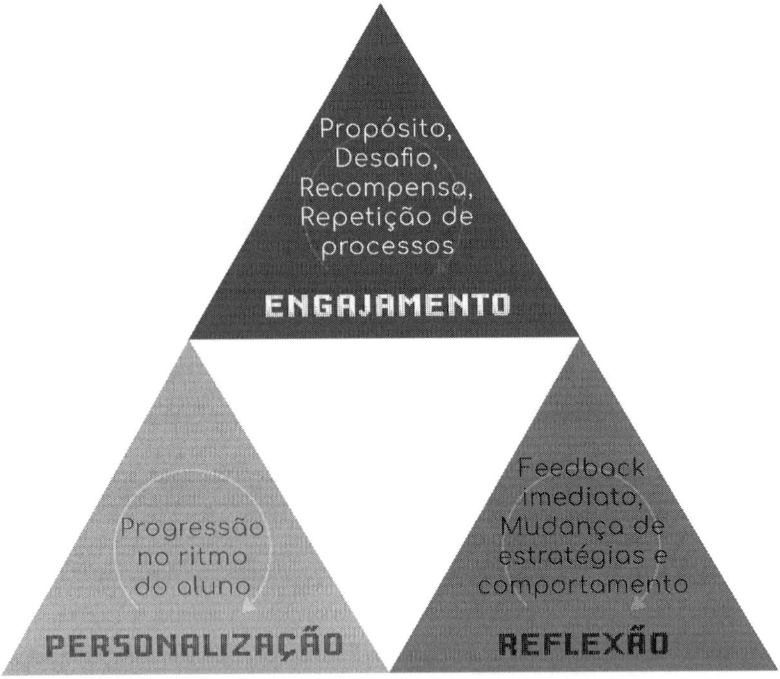

Figura 3.3: Os três pilares promovidos pela gamificação que levam ao bom aprendizado.
Fonte: O autor.

QUANDO USAR A **gamificação na educação?**

A gamificação é uma estratégia poderosa para muitas situações de aprendizagem. No entanto, como tudo relacionado ao ensino e à aprendizagem, a gamificação não é uma bala de prata. Não faz sentido gamificar todo o conteúdo ou todas as experiências de aprendizagem. Professores e instrutores inteligentes mesclam diferentes estratégias, gerando algo mais potente ainda para a aprendizagem. Por exemplo, gosto de mesclar gamificação com ensino híbrido e estratégias que envolvam rotação por estações.

Na verdade, acredito que a gamificação agrega um propósito épico, mais motivador e assertivo às chamadas metodologias ativas. A gamificação turbina as metodologias ativas. No exemplo de uma aula com rotação por estações, os alunos podem conquistar *badges* quando realizam a atividade de uma estação e podem migrar e explorar outras para conquistarem novos selos. Essa é a proposta do Class Dash que vou discutir mais adiante.

O que não tenho dúvida é de que a gamificação incentiva o aluno a progredir no conteúdo, motiva a ação e reforça o conhecimento e o comportamento desejado. Um uso interessante e eficaz da gamificação é no contexto de sala de aula invertida. Antes da aula propriamente dita, o professor pode solicitar para que os alunos consumam um determinado conteúdo (leia um texto, assista um vídeo ou preencha algum formulário). Essa estratégia é interessante para que todos os alunos tenham o mesmo nível de conhecimento e possam aprofundar as discussões e o próprio aprendizado em sala de aula sobre um determinado assunto.

No entanto, infelizmente, isso geralmente não acontece. Muitos professores postam o conteúdo em um ambiente virtual de aprendizado ou até mesmo enviam o conteúdo para o e-mail do aluno. Mas eles não acessam, muito menos aproveitam o conteúdo. Contudo, quando a gamificação é usada, o cenário pode ser diferente e motivar os alunos a fazerem o "dever de casa" antes de participar da aula.

A gamificação é útil também para se consolidar conhecimentos ou então cavar oportunidades de revisão do conteúdo, mas de forma diferente e não tão enfadonha. Outro uso particularmente eficaz é o acompanhamento do aprendizado do aluno, gerando uma dinâmica tangível de constante progressão, como faz muito bem os elementos de barra de progresso nos jogos.

APRENDIZAGEM

ANTES	DURANTE	DEPOIS
Sala de aula invertida	**Aula expositiva**	**Revisão de conteúdos**
Levantamento de conhecimentos prévios	**Aprendizagem baseada em projetos**	**Avaliação de aprendizagem**
Mobilização de curiosidade e reflexão	**Rotação por estações**	Trabalho em grupo
Aprendizagem de conteúdo	Aprendizagem de habilidades	Pesquisa
Pesquisa	Aprendizagem de conteúdo	
	Pesquisa	
	Trabalho em grupo	

Quadro 3.2: Classificação dos diferentes momentos em que a gamificação pode ser útil em uma experiência de aprendizagem. É muito importante destacar que essa classificação jamais deve ser estanque.
Fonte: O autor.

A gamificação pode ser utilizada também para mobilizar o trabalho em equipe, expondo os alunos a cenários tanto competitivos quanto colaborativos, os coopetitivos.

A estratégia inspirada nos *games* é particularmente eficaz como um método de incentivar os alunos a permanecerem envolvidos com o conteúdo por um longo período de tempo. Jogos utilizam diversos elementos de feedback imediato, de incremento da dificuldade de fase, de narrativas, bônus e conteúdos desbloqueáveis para literalmente amarrar o jogador à experiência de jogo. No que tange à aprendizagem de conteúdo, a gamificação é especialmente eficaz para a absorção de conhecimentos conceituais, declarativos e factuais. Isso ocorre devido à natureza repetitiva e à estrutura típica de perguntas e respostas utilizadas em muitas ferramentas de gamificação. Lembre-se: nosso cérebro aprende por ensaio e repetição. Logo, exigir que os alunos recuperem informações ajuda a reforçar as informações e torna a recuperação mais rápida e eficiente.

GAMIFICAÇÃO NO TRABALHO **e na sala de aula**

No ambiente corporativo, a gamificação é frequentemente utilizada na orientação de novos funcionários ou na integração, para fornecer um método, digamos, motivador, interessante e envolvente de apresentar os novos colaboradores à nova empresa. O mesmo se pode fazer com os novos alunos, no início do ano letivo ou de um curso mais prolongado.

Veja, a gamificação pode ser utilizada de forma pontual ou prolongada – você pode criar todo um curso gamificado, mas tenha em mente que isso exige muito trabalho e tempo de planejamento e clareza sobre toda a trilha que o aluno deve percorrer.

A gamificação é frequentemente usada também para ensinar aos vendedores novos recursos e funcionalidades dos produtos que eles vendem. E, acredite ou não, a gamificação pode até ser usada para impulsionar a inovação e a melhoria de um produto. Um exemplo de sucesso é a experiência gamificada do Foldit. O Foldit foi desenvolvido para permitir que não cientistas trabalhem em uma tarefa específica e incrivelmente difícil de dobrar proteínas em estrutura 3D. Para cada proteína dobrada, o jogador recebia pontos. De fato, participando da experiência gamificada, os jogadores projetaram novas vacinas a partir das maneiras novas e exclusivas de dobrar as proteínas que não foram pensadas pelos cientistas.

Em um exemplo menos dramático, algumas empresas de *software* criaram um sistema de rastreamento de *bugs* para fornecer pontos e recompensas para quem relatá-los nas versões beta do *software*, tornando o controle de qualidade um pouco menos oneroso. Mas, de novo, o que isso tem a ver com a minha sala de aula? Oras, você pode inserir elementos de jogos para incentivar os alunos a comentarem ou avaliarem o trabalho postado por outro grupo. Você também pode utilizar essa estratégia para incentivá-los a produzir e revisar textos. Mas a pergunta que deve estar pairando sobre sua mente é a seguinte: como fazer isso? Calma, antes de conhecer em detalhes os elementos de jogos e exemplos práticos de uso em sala de aula você deve reconhecer primeiro que há diferentes tipos de gamificação que precisam ser conhecidos para orientá-lo.

4 GAMIFICAÇÃO DE CONTEÚDO E GAMIFICAÇÃO ESTRUTURADA

Assim como existem diferentes tipos de jogos, como Sonic, Minecraft, Clash Royale e Candy Crush, há diversos tipos de gamificação. Karl Kapp[1] fala de dois tipos especificamente: a gamificação de conteúdo e a gamificação estruturada.

Segundo Kapp, gamificação de conteúdo é a aplicação de elementos, mecânicas e estética dos *games* para alterar o conteúdo, tornando-o mais parecido com um jogo. Adiciona-se assim itens como narrativa, desafio, mistério e avatares, que transformam o conteúdo e o aproxima mais de um *game*. Em contraste à gamificação de conteúdo, a gamificação estruturada é a aplicação de elementos de jogos para impulsionar um aluno através do conteúdo, sem alterá-lo. A estrutura que permeia o conteúdo é afetada. Um exemplo comum desse tipo de gamificação é o uso de elementos como pontos, *badges*, níveis e ranking no contexto educacional. Tanto a gamificação de conteúdo como a gamificação estruturada podem ser utilizadas de formas combinadas – o que

1. KAPP, Karl. Gamification of Learning (curso on-line). *LinkedIn Learning*. 10 set. 2014. Disponível em: <https://www.linkedin.com/learning/gamification-of-learning>. Acesso em: 9 mar. 2020.

demanda mais esforço por parte do professor e tempo de planejamento –, ou então você pode utilizar apenas um tipo em sua aula.

O uso da gamificação de conteúdo é mais recomendado para modificar a experiência do aluno durante uma aula. Você pode utilizar esse tipo de gamificação quando deseja aplicar a estratégia de uma forma mais pontual. Nesse tipo de gamificação, pode-se utilizar alguns aplicativos de perguntas e respostas em tempo real como o Kahoot! ou Socrative.[2] Se não tiver acesso à internet em sala de aula, pode-se pensar na elaboração de uma competição entre grupos de alunos com perguntas e respostas em cartões da mesma forma, sendo o professor o responsável por validar se a resposta está correta ou não. Com cada resposta correta, o aluno ou seu grupo podem ganhar 100 pontos e assim, finalizada a apresentação de 10 perguntas, declara-se o vencedor o grupo que tiver mais pontos. Essa é uma estrutura típica de um jogo, mas você pode fazer perguntas sobre os temas em que trabalha com os alunos em sala de aula. É uma gamificação bem próxima à ideia de *serious game*. Você também pode criar uma gincana em sala de aula, e motivar os alunos de diferentes formas para que eles cumpram as atividades.

Já a gamificação estruturada é mais recomendada para modificar a experiência do aluno durante um bimestre, um semestre ou o ano letivo inteiro. Ela é mais processual e corre em paralelo às práticas dos professores. Não importa se você ministra aula em uma lousa ou com auxílio de *slides*, se ela é totalmente expositiva ou mais mão na massa. A gamificação estruturada pode ser utilizada em qualquer contexto de aprendizagem, pois ela não modifica o conteúdo. Você simplesmente estrutura mecânicas que motivam o usuário

2. Socrative. Disponível em: <https://socrative.com/>. Acesso em: 9 mar. 2020.

a cumprir os objetivos de aprendizagem, podendo recompensá-lo com pontos, medalhas, ou então, motivá-los por meio da competição ou colaboração.

Como falei no início do capítulo, a gamificação de conteúdo e estruturada podem ser utilizadas de forma combinada. Por exemplo, imagine que os pontos obtidos em um Kahoot! sejam utilizados pelo professor para compor a nota final bimestral do aluno, ou então, que essa nota obtida seja utilizada e somada a outras atividades feitas em aulas futuras. E que esses pontos sejam convertidos em uma recompensa (física ou digital), ou que os pontos sejam utilizados para classificar o aluno ou o grupo de alunos em um ranking.

Mas aqui quero fazer um adendo: acreditar que a gamificação de conteúdo se restringe ao uso de aplicativos de perguntas e respostas ou então que a gamificação estruturada somente se limita a pontos, *badges* e ranking é uma crença altamente equivocada. Especialmente em relação ao famoso PBL (Pontos, *Badges* e *Leaderboard* – ranking, do inglês) há muitas críticas de seu uso em atividades gamificadas. Mas minha experiência mostra que esse é o caminho mais rápido e fácil de iniciar a jornada da gamificação. Antes criticava essa abordagem, hoje entendo que o PBL é uma etapa, e até importante, para o professor entender o valor da estratégia em contextos de aprendizagem e negócios. Utilizar PBL é legítimo e, sim, você pode gamificar o que desejar apenas utilizando esses três elementos. Mas atenção: se você continuar utilizando apenas esses três elementos, nunca vai entender, realmente, o poder que a gamificação tem de motivar as pessoas a fazerem coisas extraordinárias.

Além de apresentar as diferenças entre a gamificação de conteúdo e a gamificação estruturada, este capítulo tem por objetivo mostrar exemplos práticos de como você pode ir além do PBL e criar tanto uma gamificação de conteúdo quanto uma estrutura mais robusta para seus alunos.

GAMIFICANDO **o conteúdo de uma aula**

Acompanhe comigo este exemplo: um exercício de química pode ser mais interessante quando é apresentado a partir de uma história cheia de enigmas, colocando o aluno em um contexto de fantasia. Ou, ainda, você pode criar um mistério (um crime, por exemplo) que precisa ser resolvido a partir da reunião de evidências ao longo de uma sequência didática.

Para facilitar, imagine que seu objetivo pedagógico seja ensinar potencial hidrogeniônico (pH). Os alunos chegam a sua sala e você projeta um *slide* ou então conta uma história sobre o sumiço de uma mulher de 30 anos. Ela foi vista pela última vez acompanhada de seu ex-noivo. Os alunos são investigadores e devem conduzir uma investigação para descobrir o paradeiro da vítima. Acho que você concorda comigo que esse contexto é muito mais motivador do que somente aprender sobre o pH – explicando para os alunos que eles devem aprender porque cai na prova no final do bimestre. Até aí, adicionamos os elementos da narrativa e do mistério. E, a partir desse ponto, os alunos não são mais alunos, mas investigadores e, portanto, fazem parte da história. Eles agora têm um propósito épico: achar uma pessoa que está desaparecida. Os alunos podem começar a fazer perguntas, buscar informações na internet e pistas que lhe permitam avançar sobre o caso. Você então apresenta alguns suspeitos (avatares), solicita que interroguem os suspeitos (há diferentes formas de fazer isso, de um texto que pode ser acessado e lido ou então de um vídeo ou áudio gravado). Surge a revelação que o corpo da mulher foi encontrado em uma represa. O carro foi lançado com a vítima para dentro da represa. Na cena do crime, os investigadores podem encontrar pegadas e resolverem fazer uma análise de pH para comparar com os resíduos encontrados em sapatos apreendidos dos suspeitos. Muito mais instigante do que apresentar o conteúdo e propor uma prática de análise do solo.

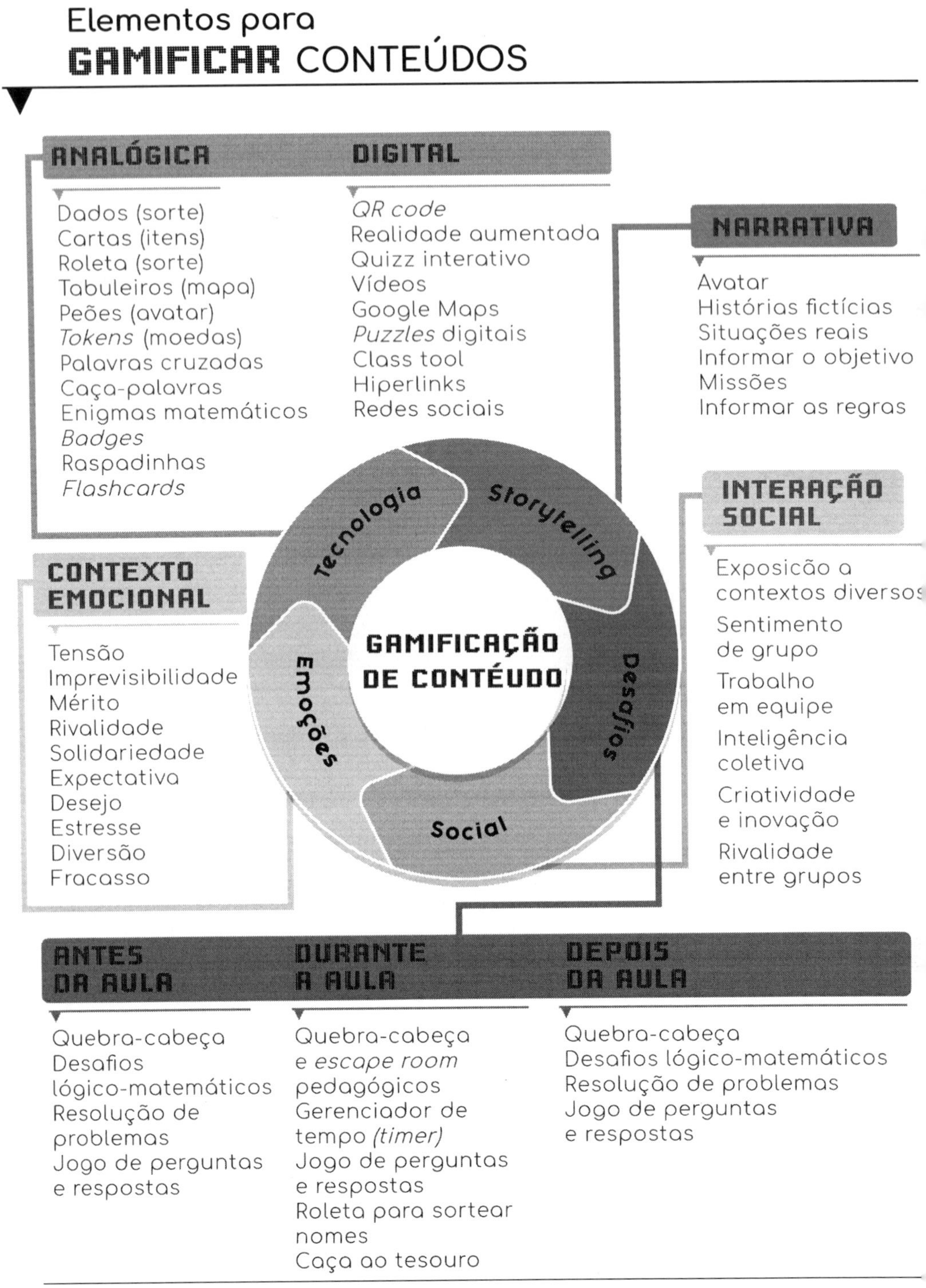
Elementos para
GAMIFICAR CONTEÚDOS
ANALÓGICA
Dados (sorte)
Cartas (itens)
Roleta (sorte)
Tabuleiros (mapa)
Peões (avatar)
Tokens (moedas)
Palavras cruzadas
Caça-palavras
Enigmas matemáticos
Badges
Raspadinhas
Flashcards
DIGITAL
QR code
Realidade aumentada
Quizz interativo
Vídeos
Google Maps
Puzzles digitais
Class tool
Hiperlinks
Redes sociais
NARRATIVA
Avatar
Histórias fictícias
Situações reais
Informar o objetivo
Missões
Informar as regras
INTERAÇÃO SOCIAL
Exposição a contextos diversos
Sentimento de grupo
Trabalho em equipe
Inteligência coletiva
Criatividade e inovação
Rivalidade entre grupos
CONTEXTO EMOCIONAL
Tensão
Imprevisibilidade
Mérito
Rivalidade
Solidariedade
Expectativa
Desejo
Estresse
Diversão
Fracasso
Tecnologia
Storytelling
Desafios
Social
Emoções
GAMIFICAÇÃO DE CONTÉUDO
ANTES DA AULA
Quebra-cabeça
Desafios lógico-matemáticos
Resolução de problemas
Jogo de perguntas e respostas
DURANTE A AULA
Quebra-cabeça e escape room pedagógicos
Gerenciador de tempo (timer)
Jogo de perguntas e respostas
Roleta para sortear nomes
Caça ao tesouro
DEPOIS DA AULA
Quebra-cabeça
Desafios lógico-matemáticos
Resolução de problemas
Jogo de perguntas e respostas

Figura 4.1
Fonte: O autor.

Nesse contexto tradicional e não gamificado, eles poderiam aprender sobre os procedimentos laboratoriais e os conceitos técnicos específicos ou então aprenderiam sobre como conduzir um experimento no laboratório, mas sem muito propósito na verdade. Na versão gamificada e contextualizada pela narrativa, os alunos realmente conduziriam uma investigação. Eles aprenderiam como é uma investigação, não apenas sobre como se faz uma análise de pH no solo. Os elementos de desafio, história, feedback imediato e a sensação do desconhecido transformam o processo de aprendizagem passivo em um processo de aprendizagem ativo.

A busca ativa pelas informações pode ser feita com a confecção e a distribuição de pistas pelo espaço da sala de aula e fora dela. As pistas podem ter diferentes naturezas: física ou digitais. Para facilitar o meu trabalho no *setup* dessas atividades, utilizo pistas digitais em dois formatos principais: *QR code* e realidade aumentada. Nesse caso, os alunos precisam utilizar o celular para que possam visualizar a informação que disponibilizo (seja em vídeo, link, texto ou imagem). Essas tecnologias são úteis para criar avatares ou plantar informações para auxiliar o aluno na resolução do desafio proposto. Por exemplo, na aula sobre o pH, em vez de explicar o conceito, você pode recomendar a leitura de um texto cuja descoberta poderá ser feita via *QR code*. Porém, tente trabalhar com informações bem compactas. Não faz nenhum sentido pedir para um aluno ler um texto de cinco páginas no celular. O mesmo vale para o uso de aplicações de realidade aumentada.

As pistas podem ter informações não relacionadas, mas o processo fica mais interessante quando elas se conectam, principalmente se uma dá pistas sobre a localização da outra. Nesse sentido, o professor pode resgatar mecânicas bem antigas e eficientes como as de caça ao tesouro e implementar dentro da sala de aula.

Todas essas mecânicas vão tornando a gamificação mais potente e motivadora, mas também pode demandar mais tempo e trabalho do professor. Faça uma análise crítica do que é possível fazer no tempo que tem disponível. Toda inovação exige tempo de planejamento e, principalmente, repetições. É bem provável que a primeira vez em que você aplicar uma gamificação de conteúdo não se sinta totalmente satisfeito. O processo fica na verdade mais refinado e azeitado com repetições – como tudo na vida. Lembre-se: a repetição é a mãe da excelência.

COMO GAMIFICAR A ESTRUTURA **de uma sequência didática?**

Como já comentei no início do capítulo, a gamificação estruturada não muda o conteúdo. Nesse caso, você adicionará uma camada mais atrativa à sua prática pedagógica. Essa camada será constituída pelos elementos dos jogos que impulsionará o aluno, modificando seu comportamento antes, durante ou depois da aula.

GAMIFICAÇÃO ESTRUTURADA E SEUS EFEITOS

ANTES DA AULA
Leitura
Visualização de vídeos

DURANTE A AULA
Envolvimento
Proatividade

DEPOIS DA AULA
Tarefas
Entrega de trabalhos

PRESENÇA
Frequência
Pontualidade

CONVIVÊNCIA
Respeito ao professor e aos colegas

ÉTICA PESSOAL
Respeito às regras acordadas
Autogestão responsável
Moralidade crescente

CONTEXTO EMOCIONAL
Contexto emocional
Tensão
Imprevisibilidade
Mérito
Rivalidade
Solidariedade
Expectativa
Desejo
Estresse
Diversão
Fracasso

INTERAÇÃO SOCIAL
Exposição a contextos diversos
Sentimento de grupo
Trabalho em equipe
Inteligência coletiva
Criatividade e inovação
Rivalidade entre grupos

ANTES DA AULA
Consumo de informação
Estudo/Preparação

DURANTE A AULA
Realização de atividades
Avaliação
Ação proativa
Trabalho em equipe
Qualidade da ação em sala
Autonomia

DEPOIS DA AULA
Tarefas
Entrega de trabalhos
Qualidade do trabalho

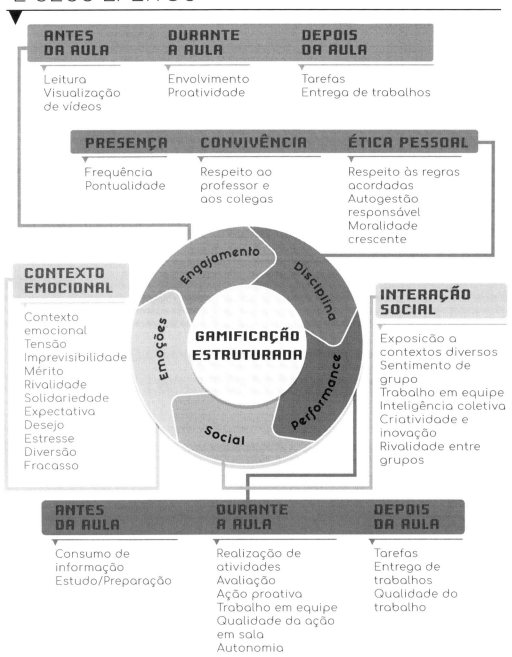

Figura 4.2
Fonte: O autor.

O que é afetado é a estrutura que permeia o conteúdo. Um exemplo comum desse tipo de gamificação é o uso de elementos como pontos, *badges*, níveis e ranking no contexto educacional. Os alunos podem ganhar pontos e subir no ranking ao assistir um vídeo. Caso permaneçam por uma semana no topo, ganham uma medalha de ouro. Nesse formato, o seu conteúdo permanece o mesmo. Se quiser, pode manter a aula expositiva e a abordagem tradicional de ensino e usar elementos de gamificação para incentivar os alunos a fazerem um número maior de exercícios.

Plataformas adaptativas utilizam muito a gamificação estruturada. Nesses ambientes virtuais, os alunos recebem um conteúdo (vídeo, texto, imagem etc.) e depois são avaliados por um *quiz*. Se responderem corretamente, ganham pontos e avançam sobre fases e níveis, podendo conquistar um *badge* digital. Se responderem errado, recebem imediatamente um conteúdo, desenhado especificamente para abordar o tópico que eles não performaram tão bem. Chamamos isso de ensino adaptativo. A gamificação estruturada é utilizada como estratégia para engajar os alunos e incentivar que eles se conectem e cumpram as atividades. À medida que os alunos progridem no conteúdo, os pontos obtidos com a resposta correta às perguntas são mostrados em uma espécie de tabela de classificação, permitindo, inclusive, que outros alunos visualizem o progresso. Assim, cria-se um gráfico social de desempenho, forçando uma competição entre os alunos. Em produtos digitais, a gamificação estruturada é o tipo mais comum de gamificação porque é relativamente mais fácil de criar.

No entanto, deve-se ter em mente que a simples adição de pontos, medalhas e ranking, o PBL, não motiva os alunos por muito tempo. É muito importante aplicar esses elementos de forma inteligente. Essas aplicações são mostradas na segunda parte deste livro, onde compartilho diversas experiências gamificadas em sala de aula.

ELEMENTOS DE JOGOS COMO **ingredientes da sua gamificação**

Adoro assistir o programa *MasterChef* devido a sua estrutura gamificada em diferentes níveis e tipos. A jornada dos participantes é totalmente gamificada e as provas também. Nesse programa, encontramos muitos elementos e regras de jogos que motivam os candidatos a se transformarem nos melhores chefs do Brasil. Mas não quero aqui discutir a gamificação utilizada no programa, mas sim a mensagem central da competição: o ato de cozinhar. Veja, preparar um prato exige basicamente duas coisas: ingredientes e um modo de preparo. Fazendo uma analogia com o processo de gamificação, os elementos de jogos são os ingredientes e o modo de preparo é o *game design* – a maneira como você mistura e organiza esses elementos, criando regras e possibilidades dos alunos jogadores interagirem com a sua intencionalidade pedagógica. Essa mistura gera um sabor que é nada menos do que a experiência do aluno ou, ainda, o conjunto de sentimentos percebidos por ele ao participar das atividades tanto antes, durante ou depois da sua aula.

Assim como existem alimentos mais salgados ou doces, há também elementos de jogos que motivam mais o usuário de maneira mais intrínseca ou extrínseca. A motivação intrínseca é a motivação interna, uma força interior que é capaz de se manter ativa diante das adversidades. O indivíduo se envolve porque é de interesse dele, independente da influência externa para fazer as coisas acontecerem. É o tipo de motivação pessoal mais eficaz.

Já a motivação extrínseca, também conhecida como motivação externa, está mais conectada ao ambiente, às situações e aos fatores externos. A motivação extrínseca está mais associada a recompensas. Nesse caso, o aluno realiza a atividade para obter certa recompensa depois, como um ponto na prova, um bolsa de estudos ou mesmo evitar de receber uma punição como ficar de exame ou não passar de ano.

Como já destaquei, a gamificação de conteúdo está mais focada na conexão emocional do aluno ao conteúdo (motivação intrínseca), enquanto a gamificação estruturada foca mais em regras e um *game design* que impulsiona o aluno por uma trilha pedagógica, oferecendo feedback imediato, sensação constante de progresso e um programa de recompensas. Portanto, esse tipo de gamificação pode ser mais associada à motivação extrínseca. Embora essa classificação não seja estanque, ela é importante para entendermos os ingredientes que temos à disposição e sua dinâmica, ou seja, seu modo de preparo e como podem ser úteis para desenhar uma experiência com sabor gamificado.

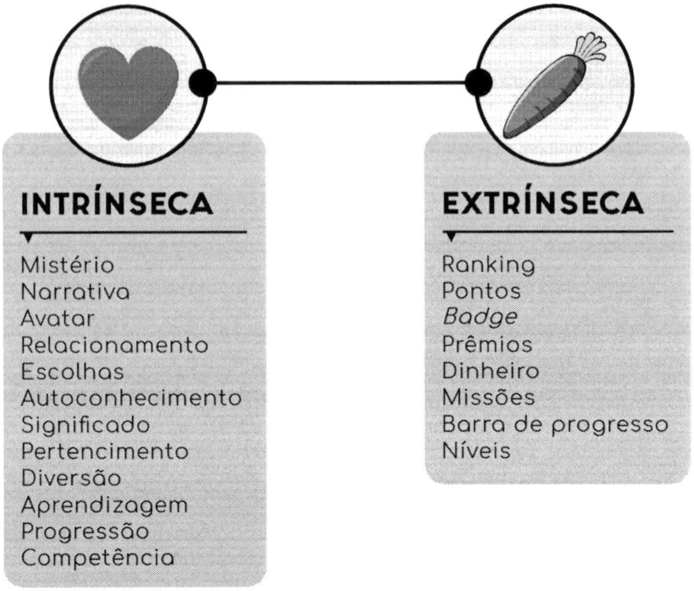

Figura 4.3: Elementos de jogos podem ser utilizados tanto para ativar a motivação intrínseca como extrínseca dos estudantes.
Fonte: O autor.

O ideal mais uma vez é mesclar o tipo de gamificação. Use a gamificação estruturada para incentivar os alunos a percorrerem trilhas e propostas didáticas mais longas, e a gamificação de conteúdo para motivar intrinsicamente o aluno, para que ele tenha uma conexão emocional com a sua intencionalidade pedagógica.

COMO ESCOLHER O QUÊ?
Definindo seus objetivos

Antes de pensar no tipo de gamificação mais adequado para sua aula, defina os seus objetivos pedagógicos. Afinal, o que você espera que os alunos realizem?

Delors (2003)[3] sugere quatro pilares para a educação, que são: aprender a conhecer, aprender a fazer, aprender a viver junto e aprender a ser. Esses diferentes modos de aprender podem ser relacionados com os tipos de objetivos de aprendizagem que devem ser levados em consideração: aprender a conhecer (objetivos conceituais); aprender a fazer (objetivos procedimentais); e aprender a viver e ser (objetivos atitudinais). Saiba que a gamificação de conteúdo impacta mais os objetivos conceituais e procedimentais, enquanto a gamificação estruturada impacta mais os objetivos atitudinais, aqueles referentes ao comportamento.

3. DELORS, J. *Educação:* um tesouro a descobrir. 2. ed. São Paulo: Cortez Brasília. DR: MEC/UNESP, 2003. Disponível em: <http://www.ia.ufrrj.br/ppgea/conteudo/T1SF/Sandra/Os-quatro-pilares-da-educacao.pdf>. Acesso em: 9 mar. 2020.

Objetivos conceituais (conhecimento)	Objetivos procedimentais (habilidade)	Objetivos atitudinais (atitude)
Conjunto de fatos, objetos ou símbolos que tem características comuns. Diz respeito aos conteúdos pedagógicos. **GAMIFICAÇÃO DE CONTEÚDO** Modifica a forma do conteúdo, tornando-o mais atrativo e próximo à linguagem de *games*. Adiciona narrativa, propósito mais explícito e objetivo épico que conecta emocionalmente os alunos. **GAMIFICAÇÃO ESTRUTURADA** Motiva os alunos a consumirem mais conteúdos por meio de recompensas como pontos, *badges* e tabelas de classificação. Indicado para motivar os alunos a estudarem antes da aula (em um modelo de sala de aula invertida), ou então fazer a tarefa de casa. **VERBOS COMUNS QUE INICIAM ESSE TIPO DE OBJETIVO** Identificar, reconhecer, classificar, descrever, comparar, explicar, relacionar, situar, lembrar, analisar, listar, comentar, indicar, enumerar, aplicar, assinalar, inferir, distinguir, generalizar etc.	Conjunto de regras, técnicas, métodos e habilidades que deve ser aprendido. Conjunto de ações ordenadas e procedimentos com um fim, dirigido para a realização de um objetivo. **GAMIFICAÇÃO DE CONTEÚDO** Muda a experiência do aluno em sala de aula. Transforma o aprendizado passivo em ativo. Oferece experiências mais próximas do mundo dos esportes, baseado em competição e colaboração. **GAMIFICAÇÃO ESTRUTURADA** Motiva o aluno a cumprir a atividade proposta. Incentiva a competição ou colaboração entre os alunos ou entre os grupos. Precisa ser usada com cautela para não criar um clima de hostilidade focado na recompensa e não na experiência pedagógica em si. **VERBOS COMUNS QUE INICIAM ESSE TIPO DE OBJETIVO** Participar, experimentar, investigar, coletar, construir, utilizar, desenhar, classificar, simular, testar, observar, executar, ler, calcular, recortar, traduzir, confeccionar etc.	Conjunto de atitudes, valores, normas e comportamentos. Trata-se de regras ou padrões de comportamento que devemos seguir em determinadas situações. **GAMIFICAÇÃO DE CONTEÚDO** Muda a percepção sobre valores, normas e regras. Justifica determinada conduta de acordo com a coerência estabelecida com a narrativa. Por exemplo, pode-se manter o silêncio numa sala alegando que o barulho pode despertar o terrível gigante. **GAMIFICAÇÃO ESTRUTURADA** Motiva o aluno a manifestar comportamentos específicos desejados. Por exemplo, ser pontual, não conversar durante a aula, fazer o dever de casa, acessar o material no ambiente virtual, comentar o texto do colega etc. **VERBOS COMUNS QUE INICIAM ESSE TIPO DE OBJETIVO** Comportar-se, tolerar, respeitar, ponderar, aceitar, praticar, ser consciente de, reagir a, agir, perceber, obedecer, preferir, escolher, sentir, inclinar-se, defender, julgar, apreciar etc.

Quadro 4.1
Fonte: O autor.

O interessante é que, ao trabalhar com o desenvolvimento de conhecimentos, habilidades e atitudes, você propicia também ao indivíduo o saber, o poder e o querer, resultando no desenvolvimento de competência como bem resume o quadro a seguir elaborado por Fred Garnett e Luci Ferraz de Melo, baseado em Eboli (2004).[4]

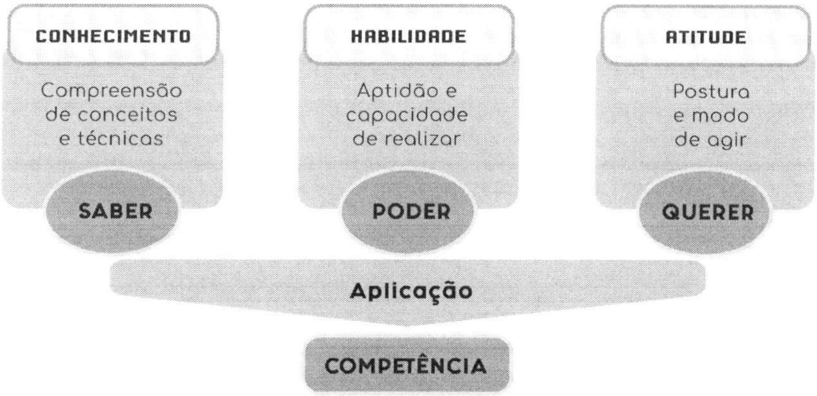

Figura 4.4
Fonte: Eboli, 2004, p. 53.

Antes de pensar em gamificação, tenha muito claro o objetivo de aprendizagem e o que você deseja que o aluno realize antes, durante ou após a aula. Observe tanto na tabela quanto na figura anterior que, para desenvolver competência no aluno, três tipos de objetivos diferentes devem ser trabalhados, e independentemente de qual deles, você pode utilizar tanto a gamificação de conteúdo como a gamificação estruturada para obter maior participação, envolvimento e performance dos alunos.

4. GARNETT, Fred; MELLO, Luci Ferraz de. Andragogia, heutagogia e as novas práticas em EAD. In: CIEAD – Curitiba/SP, n. 20, 2014, Curitiba. *Associação brasileira de educação a distância*. Disponível em: <http://www.abed.org.br/congresso2014/arquivos/MR49_andragogia_heutagogia_novas_praticas_ead.pdf>. Acesso em: 9 mar. 2020.

ESCREVENDO **os objetivos de aprendizagem**

A taxonomia dos objetivos educacionais, também popularizada como taxonomia de Bloom, é uma das estruturas mais famosas de organização hierárquica de objetivos educacionais. Utilizei por um bom tempo essa estrutura durante o planejamento de diversas atividades, porém confesso que depois que Lyle French me apresentou o diagrama do DOK[5] (*Depth of Knowledge*) ou, traduzindo para o português, níveis de profundidade do conhecimento, elaborado por Norman Webb, hoje utilizo praticamente somente essa ferramenta para elaborar meus objetivos de aprendizagem. O DOK também se presta a elaborar perguntas e provocações que levem os alunos a refletirem ou executarem algum tipo de atividade.

NÍVEIS DE
PROFUNDIDADE
do conhecimento
(DOK)

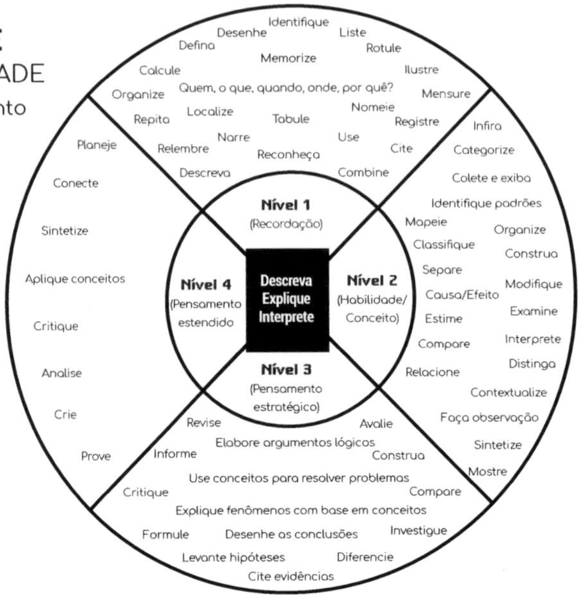

Figura 4.5
Fonte: Traduzido de Norman Webb.

5. Depth of Knowledge (DOK) Overview Chart. *NIESC*. Disponível em: <https://static.pdesas.org/content/documents/M1-Slide_19_DOK_Wheel_Slide.pdf>.

O DOK é um diagrama em círculo dividido em quatro partes, cada uma representando um nível. Em cada parte, há palavras (em geral, verbos de ação) que nos auxiliam a criar diferentes objetivos de aprendizagem. Mas o DOK é mais do que uma roda de verbos, a ferramenta também orienta o professor a pensar no envolvimento dos alunos em níveis cognitivos mais elevados, contemplando o ato de pensar e de aplicar o conhecimento.

Os quatro níveis do DOK são: recordação, habilidade/conceito, pensamento estratégico e pensamento estendido. A gamificação pode ser utilizada em qualquer nível, mas é recomendável, obviamente, você começar com objetivos de aprendizagem que envolvem o aluno no nível 1.

NÍVEL 1: recordação

Ao considerar uma sequência didática ou mesmo um projeto é necessário contar com os conhecimentos prévios dos alunos. Assim, esse nível de envolvimento foca o resgate da informação, a checagem da compreensão sobre um conceito e conteúdo específico por parte do aluno. Esse nível também pode ser utilizado para orientar o pensamento do estudante sobre algo e, ao mesmo tempo, estabelecer conexões entre ideias, conceitos e conhecimentos já adquiridos. Por exemplo, você pede aos alunos de uma aula de ciências para nomear diferentes tipos de animais e de frutas. Eles fornecem uma lista de animais e frutas. Dessa forma, você tem a base do que os alunos sabem sobre a diferença entre animais e não animais.

A gamificação de conteúdo é um prato cheio para esse primeiro nível de envolvimento e profundidade do conhecimento. A aplicação de um *quiz* digital, formulários eletrônicos e atividades gerais de pergunta e respostas são extremamente adequadas para promover e valorizar todos os objetivos de aprendizagem desse primeiro nível.

NÍVEL 2: habilidade/conceito

Quando houver uma base de conhecimento obtida por meio do resgate e da checagem da informação, é hora de focar o segundo nível. Nele, você começa a envolver os alunos em uma fase mais profunda do pensamento. Veja, você não tem o propósito apenas de resgatar algo que eles aprenderam, mas sim de explorar esse aprendizado e aplicá-lo para gerar novos conhecimentos. Pense assim: você solicitou aos alunos para nomearem animais. Eles geraram uma lista com nomes de diferentes animais. A próxima pergunta lógica poderia ser: qual é a diferença entre um cachorro e uma arara? Nesse momento, o foco é fazer os alunos compreenderem que, no reino dos animais, existem mamíferos, répteis, pássaros, anfíbios, insetos, peixes etc. Essas perguntas e provocações incentivam os alunos a fazerem comparações e analisarem de forma mais crítica os animais.

Nesse nível, a gamificação de conteúdo no formato de aplicações com perguntas e respostas é muito bem-vinda, mas também podemos ter um processo mais robusto de pesquisa e interpretação da informação. O segundo nível do DOK envolve comparações, classificação, análises de semelhanças, interpretação, apresentar uma ideia em gráfico etc. Aqui, o objetivo é realmente que o aluno explore e aplique o conceito e/ou habilidade aprendido, explicando o porquê e como o fenômeno ocorre.

NÍVEL 3: pensamento estratégico

Depois de consolidar uma base de conhecimento e experimentar o conceito/habilidade, abrindo espaço para a exploração, experimentação e explanações sobre o fenômeno em estudo, podemos mover para o terceiro nível do DOK. Nesse nível, não há, em geral, uma resposta correta para as perguntas feitas, pois os alunos agora estarão mais envolvidos em um processo de criar e investigar o conceito de forma mais profunda. Por exemplo, ao constatar que os animais são diferentes, os alunos podem começar a levantar hipóteses sobre essas diferenças e articular argumentos lógicos para defender, por exemplo, que o pinguim é uma ave e não um peixe.

No que tange à gamificação, o professor pode realizar uma curadoria de textos, vídeos e imagens e espalhar essa informação para que os alunos possam buscá-la. O professor pode também transformar essas informações em "itens", os quais podem ser conquistados mediante o cumprimento de regras estabelecidas por uma gamificação estruturada, por exemplo, uma quantidade mínima de pontos. O professor pode realizar uma competição que incentive os alunos a pesquisarem informações ou criem o argumento mais objetivo que defenda seu ponto de vista. As possibilidades são inúmeras, mas elas têm um perfil típico, bem mais voltado para a busca de informações, interpretação e análise crítica de conteúdo.

NÍVEL 4: pensamento estendido

O último nível do DOK é, na minha opinião, o mais difícil, porque requer muita disponibilidade do professor para acompanhar os alunos no processo de criação e análise crítica mais profunda de informação. No exemplo sobre os animais, os alunos podem ler a respeito de uma nova espécie de animal. Após a leitura, eles teriam que determinar a origem da espécie, de acordo com suas características e justificar sua decisão com base no entendimento da classificação dos vertebrados. Outra possibilidade seria o professor entregar uma série de formas geométricas com diferentes tipos de preenchimento e solicitar para que os alunos criem um sistema de classificação com base nas diferenças e semelhanças observadas. Nesse caso, o foco não seria os animais, mas sim o raciocínio envolvido no processo de classificação dos objetos.

O último nível do DOK é voltado para o processo de criação, de aplicação dos conceitos e organização de um sistema de síntese sobre o conteúdo estudado. Nele, podemos também organizar os objetivos de aprendizagem em que os alunos precisam prototipar e conectar ideias e conceitos diferentes como, no exemplo, do estudo das características dos animais e desenvolvimento de uma chave de identificação.

A gamificação pode ser utilizada nesse nível da mesma forma que no nível anterior, mas o professor irá além e pode solicitar para que os alunos criem um sistema de regras e, porque não, uma experiência gamificada para outros participantes. Como esse nível do DOK é bastante voltado para a criação, a aprendizagem baseada em projetos e o processo de compartilhamento dos produtos criados pelos alunos são estratégias e abordagens adequadas para colocar o estudante no centro do processo de aprendizagem. Vale a pena provocar o estudante e mostrar-lhe o poder da gamificação para engajar usuários em uma experiência projetada por eles próprios. No exemplo dos animais, os alunos podem criar uma atividade para que outras pessoas investiguem um mistério envolvendo um animal – algo parecido com a brincadeira "Que bicho é esse?". Os alunos podem, por exemplo, esconder pistas em *QR codes* ou até mesmo criar um sistema básico de cartas com informações sobre o animal. A gamificação do conteúdo pode ficar por conta dos alunos, e a gamificação estruturada pode ser utilizada para que eles criem o melhor projeto possível.

NÍVEL 1 DO DOK
RECORDAÇÃO

Verbos comuns: liste, calcule, defina, identifique, memorize, reconheça, mensure. Quando, onde, quem, por quê?

Foco: fatos específicos, definições, detalhes ou procedimentos.

Há uma resposta correta.

NÍVEL 2 DO DOK
CONCEITO/HABILIDADE

Verbos comuns: classifique, compare, estime, interprete, relacione, organize, construa, resuma, mostre, observe.

Foco: aplicação de conceitos e habilidades, explicações sobre por que e como.

Há uma resposta correta.

NÍVEL 3 DO DOK
PENSAMENTO ESTRATÉGICO

Verbos comuns: argumente, construa, investigue, formule uma hipótese, critique, revise, explique o fenômeno etc.

Foco: pensamento e planejamento para organizar respostas. Pensamento complexo e abstrato exigido. Defesa de raciocínio e conclusões.

Mais de uma resposta. Múltiplos pontos de vista. Desafios mais curtos. Aprendizagem baseada em problemas,

NÍVEL 4 DO DOK
PENSAMENTO ESTENDIDO

Verbos comuns: crie, conecte, sintetize, critique, analise, prove, desenhe.

Foco: pensamento complexo e estratégico. Aplicação do conhecimento em diferentes situações.

Há múltiplas respostas ou abordagens. Requer períodos mais longos de tempo com várias etapas. Aprendizagem baseada em projetos.

Figura 4.6: Quadro-resumo dos quatro níveis do DOK.
Fonte: O autor.

Depois de encontrar o ponto de convergência entre a sua intencionalidade pedagógica e os interesses dos alunos, é importante projetar a experiência gamificada. É isso que vamos discutir no próximo capítulo.

5 **BASES PARA** A CONSTRUÇÃO DE UMA **BOA GAMIFICAÇÃO** NA SALA DE AULA

A gamificação permite que professores criem experiências motivadoras que vão além dos padrões curriculares. Por exemplo, onde já se viu aprender matemática caçando zumbis? Sim, é bastante diferente do modelo tradicional, mas, acredite, esse novo jeito captura com mais eficiência a atenção dos alunos e isso implica mais dedicação e engajamento em sala de aula. Essa é a fórmula que a literatura, o cinema e os *videogames* utilizam para encantar e emocionar as pessoas. Você já deve saber que aprendizagem sem emoção não engaja e não ensina. Jogos são divertidos porque neles há canais para viver emoções, tanto positivas quanto negativas. Nosso cérebro grava momentos que dispõem de algum sentido ou valência emocional. Por isso, a gamificação funciona tão bem. Com ela, você pode instalar na sala de aula situações tanto de colaboração e entusiasmo como de competição e tensão.

Mas é bom lembrar que, antes de desenhar a jornada de que os alunos participarão, é importante conhecer mais os jogadores! Saber o que gostam e desejam fazer. No universo dos jogos, há diferentes *frameworks* que auxiliam *game designers* a conhecer os diferentes tipos de jogadores. Entre esses modelos, sem dúvida os quatro perfis que o pesquisador de *games* Richard Bartle definiu são os mais famosos e fáceis de usar. Em suas pesquisas, esse autor constatou quatro perfis diferentes, chamados de **achievers**, **explorers**, **killers** e **socialites**. Ou, traduzindo livremente: conquistadores, exploradores, predadores (ou assassinos) e socializadores:[1]

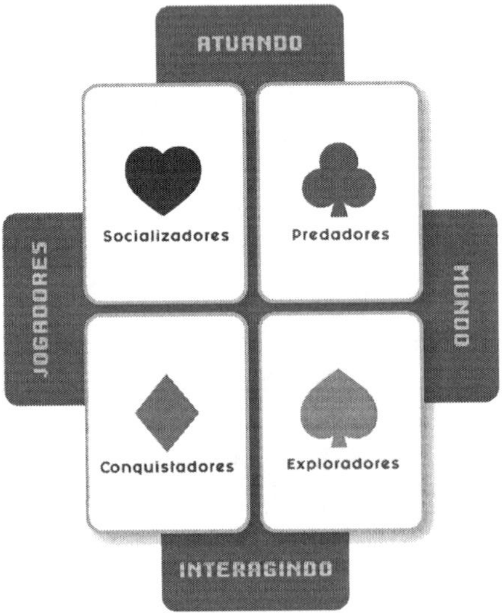

CONQUISTADORES (*achievers*)

Jogadores motivados por objetivos, missões e desafios cuja realização bem-sucedida se converte em pontos – seja pontos de experiência, níveis, seja troféus. Gostam de manter-se no topo dos rankings e acumular o máximo possível de itens, *badges* e pontos dentro do jogo.

1. BARTLE, Richard. Hearts, clubs, diamonds, spades: players who suit MUDs. *ResearchGate*. Jun. 1996. Disponível em: <https://www.researchgate.net/publication/247190693_Hearts_clubs_diamonds_spades_Players_who_suit_MUDs>. Aceso em: 11 mar. 2020.

EXPLORADORES
(*explorers*)

São jogadores curiosos e conduzidos pela vontade de descobrir o máximo possível sobre o jogo, incluindo desde o mapeamento da área geográfica até a compreensão da mecânica.

PREDADORES
(*killers*)

O tipo mais competitivo, também conhecido como predador. Esse perfil é motivado pela vontade de impor-se, e seus representantes ficam satisfeitos em proporcionar uma experiência de ansiedade e agonia aos outros jogadores. Nesse caso, eles acreditam que sua vitória significa a derrota para alguém. São bem frequentes no topo dos rankings.

SOCIALIZADORES
(*socialites*)

Perfil interessado na relação social e no que as pessoas têm a dizer. Nesse caso, o jogo é apenas um pretexto para socializarem com outros jogadores. Os socializadores são os maiores comentadores de status e os que motivam os desafios em time.

Para nós, educadores, é importante conhecer esses perfis principalmente para selecionar os verbos de engajamento social e de ação[2] que desejamos que nossos alunos realizem durante o processo de gamificação.

2. KIM, Amy J. Smart Gamification: Social Game Design for a Connected World. *LinkedIn SlideShare*, 2010. Disponível em: <https://pt.slideshare.net/amyjokim/smart-gamification-social-game-design-for-a-connected-world>. Acesso em: 11 mar. 2020.

Verbos de engajamento
SOCIAL E DE AÇÃO
SOBRE O MUNDO

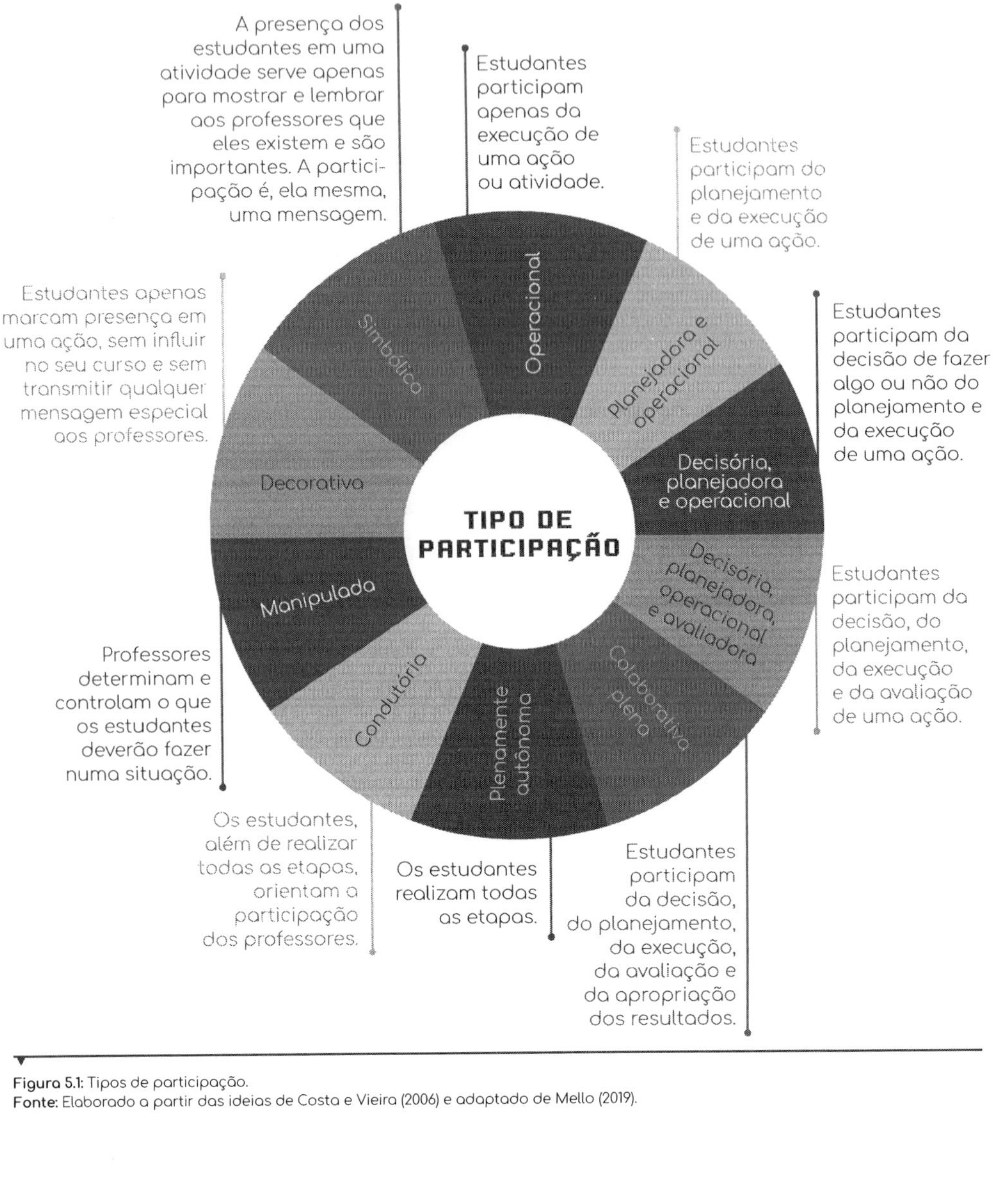

Figura 5.1: Tipos de participação.
Fonte: Elaborado a partir das ideias de Costa e Vieira (2006) e adaptado de Mello (2019).

Assim, enquanto a taxonomia de Bloom e o DOK auxiliam a estruturar os objetivos de aprendizagem do professor, os perfis de Bartle ajudam a conhecer melhor os perfis dos alunos, o que eles desejam e como vão se envolver durante o processo de gamificação. Além do perfil de Bartle, é interessante analisarmos o tipo de participação que desejamos desenvolver com os nossos alunos.[3]

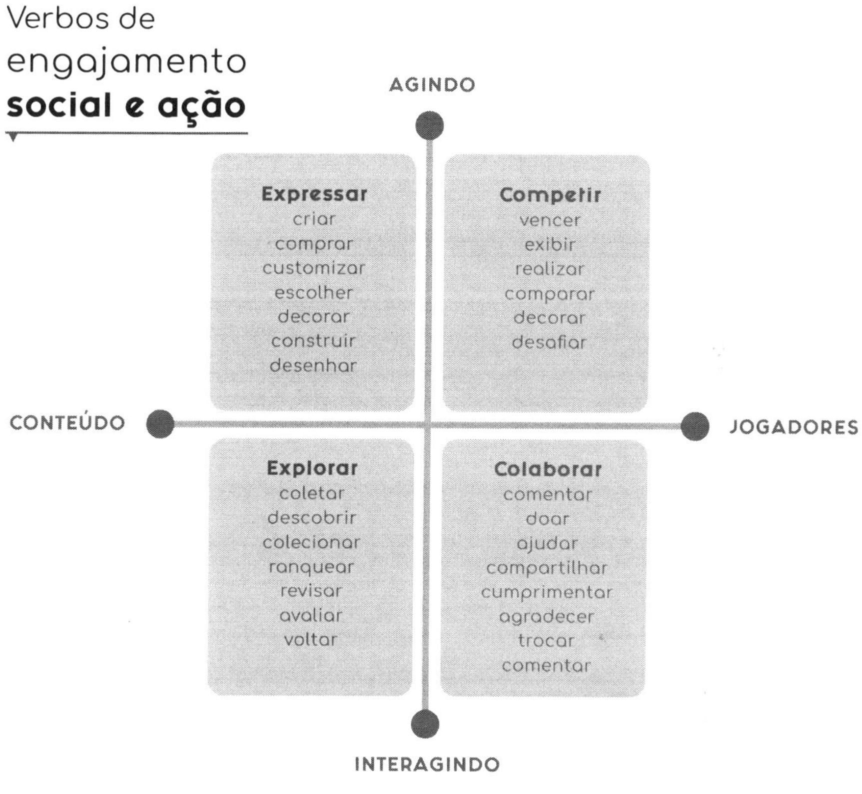

Figura 5.2
Fonte: O autor.

3. MELLO, L.F. Formação de Professores sobre o Currículo de Tecnologias para Aprendizagem e Protagonismo. Evento: Implementação do Currículo da Cidade de São Paulo – Educação de Jovens e Adultos, Instituto Mauá, São Paulo/SP, 25 de julho de 2019.

A gamificação pode ser aplicada em todos os tipos de participação da mesma forma que pode ser aplicada nos quatro níveis do DOK.

Depois que encontrar o ponto de convergência entre a sua intencionalidade pedagógica e os interesses dos alunos, é importante projetar a experiência gamificada. Quando falo de gamificação aplicada à educação, sempre me refiro à ideia de *level design*. Mas o que seria isso?

O QUE É *level design* de aprendizagem?

Level design é uma etapa do desenvolvimento dos jogos eletrônicos que envolve basicamente a criação de níveis, das campanhas e das missões. Por exemplo, no Sonic, o jogador deve sair do ponto A e ir até o ponto B, saltando sobre plataformas voadoras e buracos. Existe, portanto, um desenho de nível definido pelo *game designer*. Esse desenho é que entrega para o jogador o chamado *gameplay*, ou seja, a sensação de agência e controle sobre o personagem que está associado a um propósito – que é o de "passar" a fase ou, ainda, chegar até o final daquele nível.

Na educação, professores também atuam como *designers*, mas não de um *game*, e sim da aprendizagem. Planejamos sequências de aulas e atividades específicas para o aluno aprender conteúdos e desenvolver habilidades. Assim, quando aplico a gamificação na minha sala de aula, desenho missões, campanhas e aventuras para meus alunos. Logo, faz sentido chamar o processo de gamificação aplicado à educação de *Level Design* de Aprendizagem (LDA). Dessa forma, defino esse conceito da seguinte forma:

***Level design* de aprendizagem é o processo de criação, desenvolvimento e implementação de trilhas de aprendizagem baseadas em elementos dos jogos, com conteúdo, escolhas e desafio.**

A partir dessa definição, podemos fazer um paralelo com um dos tipos de jogos mais famosos de todos os tempos: o de plataforma. Esse estilo de jogo é o mesmo de outros títulos clássicos como Sonic, Donkey Kong e Super Mário que estão na cultura pop e na memória de pessoas de diversas gerações. Em um jogo desse tipo, o jogador controla um avatar que se movimenta e salta entre plataformas e obstáculos, enfrentando inimigos, desafios e coletando bônus.

CONTEÚDO, **escolhas e desafios**

Um bom LDA tem características fundamentais que criam o alicerce e o terreno para uma boa aprendizagem. Também costumo chamar essas características de plataformas fixas – responsáveis por suportar toda a jornada e a jogabilidade do avatar. As plataformas fixas de um LDA são conhecidas como CED, isto é, Conteúdo, Escolhas e Desafios.

- "C" de conteúdo, que pode ser o do currículo ou de documentos norteadores do processo de ensino e aprendizagem, como é o caso da BNCC;
- "E" de escolhas, que são convites para os alunos explorarem caminhos exclusivos ou individuais para a aquisição de conteúdo. Aqui flertamos com outras estratégias e

modalidades de ensino, como o ensino híbrido, rotação por estações e ensino personalizado;

- "D" de desafio, que se refere aos objetivos, às missões e às restrições que mantêm o aluno envolvido no processo gamificado, desenvolvendo nele conhecimentos e competências.

STATUS, ACESSO, **poder e coisas**

Para incrementar mais ainda nosso modelo de LDA, vamos utilizar o modelo SAPS criado por Gabe Zichermann,[4] que é um dos nomes mais conhecidos e idolatrados da gamificação. SAPS significa *Status*, *Access*, ou seja, Acesso, *Power*, Poder e *Stuff*, que podemos traduzir como coisas ou materiais. Esse modelo é uma ferramenta poderosa que ajuda os educadores a entender melhor o que motiva os seus alunos.

Dentro da ideia de LDA, o SAPS pode ser comparado a itens coletáveis que conferem alguma vantagem ao jogador. Seguindo essa linha de raciocínio, podemos representar o status como uma estrela ou troféu. Como professores, adquirimos o hábito de reprimir todas as exibições de status na sala de aula. No fundo, queremos que todos se sintam vencedores. Entendo essa intenção, mas é nítido o entusiasmo e a alegria dos alunos quando são reconhecidos publicamente por ir além do básico.

Na verdade, os alunos precisam de feedbacks construtivos; eles também precisam de exemplos de excelência para performarem cada vez melhor. Usar o status como uma mecânica de jogo

4. ZICHERMANN, Gabe. *Gamification by Design*. Boston: O'Reilly, 2011.

reflete o que acontece na vida real, fornecendo um modelo do que é realmente validado e que inspira as pessoas a agirem com propósito. Acredito que o reconhecimento público de um bom trabalho incentiva os alunos a darem o melhor de si.

Nesse sentido, proteger os alunos do status limita as oportunidades de aprendizado, não atendendo à necessidade de reconhecimento natural de qualquer ser humano. A forma como os jogos incorporam essa necessidade é através de *badges*, ou seja, medalhas e também de rankings de classificação. Mas veja bem, é muito importante fazer o uso dosado desses elementos em atividades gamificadas. Os *badges* são bem interessantes porque ajudam os alunos a estabelecerem objetivos múltiplos e permitem que eles mesmos vejam o crescimento de suas habilidades ou de seu caráter ao longo do curso.

O acesso pode ser representado como uma chave ou porta, uma espécie de portal que transporta o jogador para outra área de uma fase. As pessoas gostam de se sentir parte de algo especial, principalmente quando esse acesso é baseado em condições ou realizações. Esse desejo inato é um dos verdadeiros poderes do design de cursos inspirados em jogos. O engajamento aumenta quando os alunos obtêm acesso a experiências que não tinham antes, incluindo diferentes níveis de jogos e áreas secretas que precisam ser obtidas ou descobertas. Então, é importante ser criativo e conectar tarefas e desafios à atividade que se pretende gamificar.

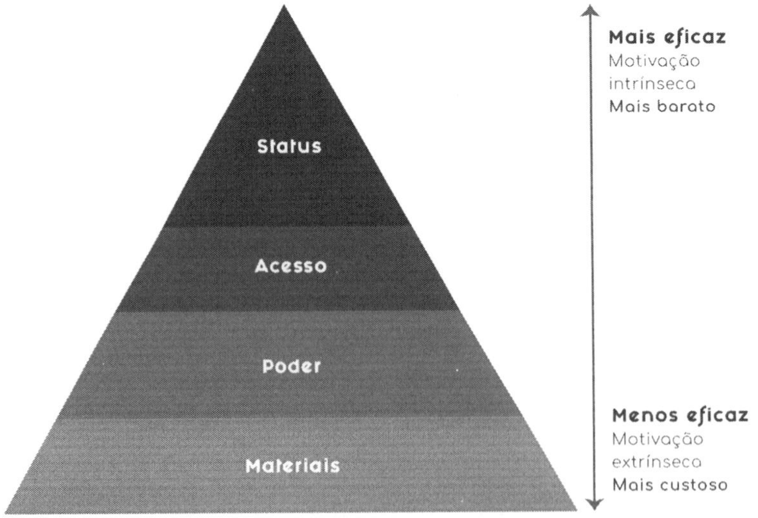

Figura 5.3: Plataformas (ou elementos) fixas ou móveis para a criação de um *level design* de aprendizagem.
Fonte: O autor.

Desde que seus alunos estejam envolvidos com o conteúdo e os objetivos pedagógicos do curso, não há nenhum problema se nem todos experimentarem todos os desafios da sua gamificação. A motivação para o ganho de acesso às partes secretas é o que os levará muito além da aquisição do conteúdo básico e necessário.

O poder pode ser representado por uma espada. Todos os jogadores querem um pouco de poder sobre o jogo ou atividade gamificada. Outra boa maneira de olhar para a palavra "poder" nesse contexto é agência e o protagonismo. Agência tem muito a ver com autonomia, com a liberdade que o usuário tem de transitar entre as missões e os desafios propostos. E, por fim, as coisas, que também podem ser entendidas como materiais, podem ser representados por moedas, isto é, os famosos dinheirinhos dos jogos. As coisas se referem aos elementos físicos e tangíveis da gamificação. Por exemplo, pode ser um tipo de recompensa que o aluno ganha com o cumprimento de uma tarefa.

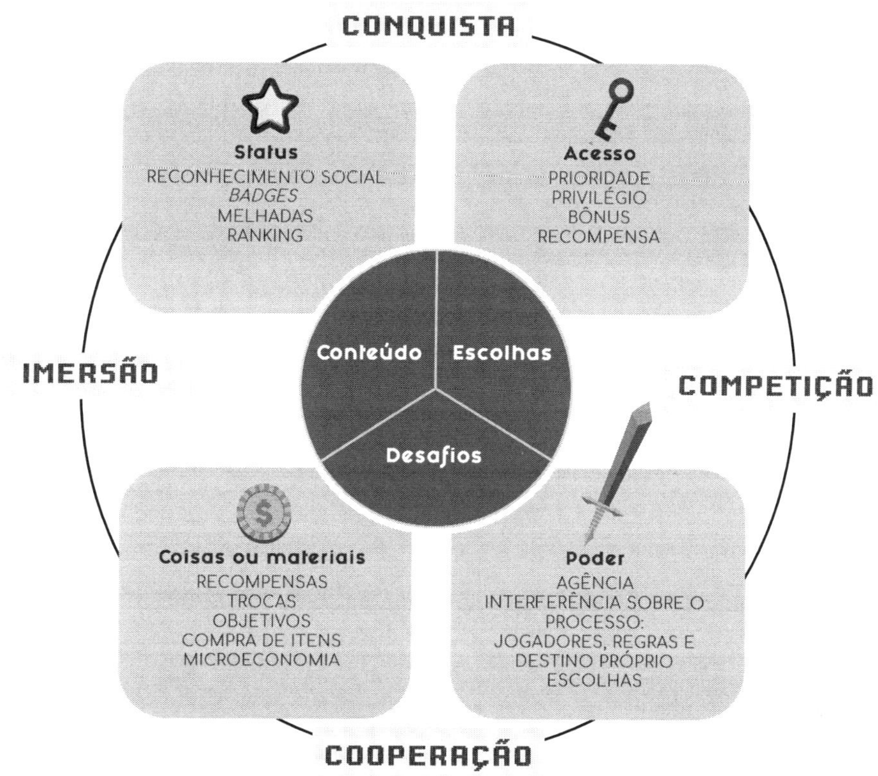

Figura 5.4
Fonte: O autor.

COERÊNCIA **e tipos de recompensas**

Quando as recompensas não estão relacionadas necessariamente ao tema da atividade, tornam-se irrelevantes e perdem seu maior poder: o de motivar intrinsecamente os alunos. Ironicamente, isso ocorre frequentemente. Sabe as famosas recompensas no formato de estrelinha? E os doces ou qualquer outra coisa que não esteja relacionado ao tema?

Por exemplo, imagina uma aula sobre a história do Egito e que como recompensa a uma atividade você ofereça um pirulito industrializado. O pirulito não tem nada a ver com o Egito, e isso é muito fácil de perceber, não é? Mas se você oferecer – na forma de *card* ou *badge* – um sarcófago, um escudo para se proteger de uma múmia ou o acesso a uma pirâmide secreta, isso sim fará muita diferença. E note que interessante: os itens da atividade gamificada podem não ter valor real de mercado, basta terem valor dentro daquela atividade. É essa coerência que mantém a jogabilidade intrinsecamente motivada.

GAMIFICAÇÃO **para salas pequenas e grandes**

Além das plataformas fixas, existem as móveis, que podem variar a frequência conforme o objetivo pedagógico. Essas plataformas móveis na verdade são os elementos de design discutidos por Jon Radoff,[5] um *designer* de jogos e autor de diversos livros sobre gamificação. As plataformas móveis são: imersão, cooperação, conquista e competição. Esses elementos podem ser organizados em um diagrama como a figura exibida a seguir.

5. RADOFF, Jon. *Game On*: Energize Your Business with Social Media Games. NY: John Wiley & Sons, 2011.

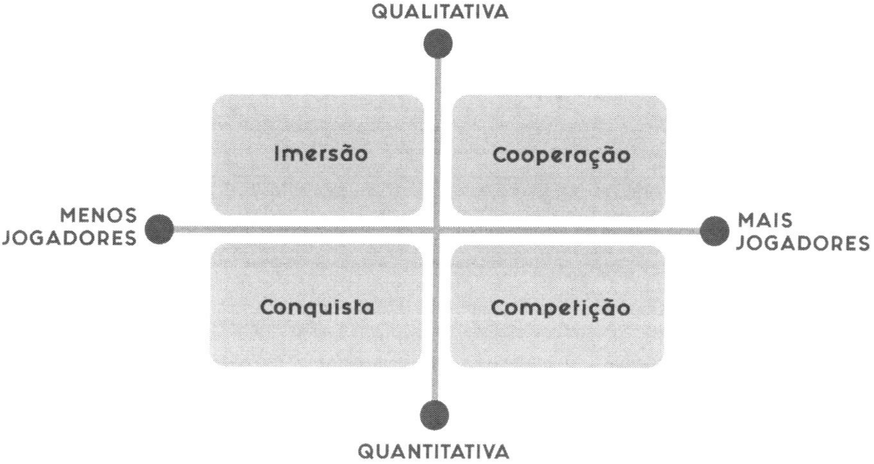

Figura 5.5
Fonte: Jon Radoff.

A divisão das quatro categorias de Radoff nos ajuda a pensar em diferentes maneiras de visualizar a relação entre a intencionalidade pedagógica e os elementos de jogos, além de inspirar a criar novos tipos de atividades para alcançar o objetivo pedagógico.

Imersão é sobre contar histórias e projetar um mundo com o qual os alunos possam se relacionar e que lhes permitam explorar, crescer e criar. Podemos relacionar essa plataforma móvel com o tema, bem como com o cenário e as atividades. Isso impacta, por exemplo, a escolha das imagens de *slides*, da fonte do material utilizado e até de uma música que pode ser tocada. Todos esses elementos potencializam a experiência de imersão. Esta é um componente que empresas como a Disney e a Universal trabalham em seus parques temáticos. Tudo lá é feito para que você realmente tenha uma experiência única e imersiva no universo criado por eles. A imersão é uma característica essencialmente qualitativa, e, quando pensamos em sala de aula, é recomendável trabalhá-la em turmas menores, isto é, com poucos jogadores, visto que as maiores podem exigir um esforço maior de tempo e dinheiro.

Conquista é sobre o desenvolvimento de habilidades, de maestria. Diz respeito às condições oferecidas ao jogador para aprender e praticar suas habilidades. A ideia é que o aluno repita processos de forma que ganhe mais competência e proficiência para realizar a tarefa. Nesse caso, oferecer feedback aos alunos por meio de mecânicas de jogos como pontos, barra de progresso e *badges* é uma ótima maneira de mostrar resultados e também de ajudá-los a tomarem decisões mais conscientes para avaliar seu aprendizado. O grande desafio nesse componente e em qualquer processo de gamificação é encontrar o ponto ideal entre tornar algo ridiculamente fácil ou incrivelmente difícil. Na verdade, não há uma receita para isso, a dica aqui é: teste e repita os testes, entenda o seu aluno, investigue a sua bagagem cultural, faça uma avaliação diagnóstica para entender o que os seus alunos sabem ou não. Aproveite também para investigar o que eles têm interesse em saber.

Conquista é uma característica que pode ser tanto qualitativa como quantitativa, embora a utilizemos muito mais como quantitativa. Por exemplo, os pontos ou os *badges* podem ser contados, somados e representar a performance do aluno nas atividades propostas. E, considerando o contexto de sala de aula, conquistas são mais facilmente gerenciáveis em turmas menores. Quanto maior o número de alunos, mais complexo fica o processo de distribuição e gerenciamento de todas as conquistas, por isso essa característica aparece neste lugar no diagrama do Radoff, mais próximo da categoria quantitativa e também mais próximo da categoria "menos jogadores".

Cooperação é sobre o trabalho em equipe. A cooperação inclui características como altruísmo, coordenação e articulação de coalizações como guildas e tribos. É uma característica mais qualitativa e deve envolver um número maior de alunos. Quanto mais alunos, mais adequado é pensar em mecânicas que envolvam de alguma forma a cooperação.

O mesmo raciocínio se aplica à competição, que é uma característica mais quantitativa. A competição permite que os jogadores interajam e pode ser uma ótima maneira de se relacionarem com o coletivo. Além disso, pode servir como meio para os alunos praticarem uma colaboração mais autêntica entre os integrantes do mesmo grupo. Pense nas equipes esportivas como, por exemplo, uma equipe de voleibol. Os jogadores se unem em uma experiência altamente competitiva e, ao mesmo tempo, trabalham para ajudar um ao outro. A competição então nos permite construir tarefas quantitativas e interação social entre grupos e alunos que incorporam importantes habilidades para suas vidas.

PARTE 2

6 *CSI* NA SALA DE AULA: **GAMIFICANDO** UM CURSO DE **CIÊNCIAS FORENSES** DO ENSINO FUNDAMENTAL

Não há algo mais interdisciplinar e poderoso para aguçar a curiosidade das crianças e dos adolescentes do que a temática criminalística. Na verdade, essa não é uma constatação pessoal, mas sim da literatura e do cinema há muitos anos. A novela policial é um dos gêneros mais rentáveis da literatura, do cinema e da televisão. Nesse gênero, há elementos bem comuns, como o crime cometido, o processo de averiguação do caso e a descoberta do criminoso. O núcleo central, que puxa a trama e motiva o leitor, é justamente o esclarecimento do enigma – desvendar o que aconteceu e as motivações do suposto criminoso. Pensando no contexto pedagógico, o mais valioso é constatar que a trama gira em torno de fatos e evidências, o que auxilia muito o professor trabalhar com o pensamento e o conhecimento científico aplicado à resolução de problemas complexos.

Na literatura, Sherlock Holmes é um dos personagens mais famosos. É uma obra-prima da genialidade de Arthur Conan Doyle.[1]

1. Autor responsável pelas histórias sobre o detetive Sherlock Holmes, personagem de obra homônima considerada uma grande inovação no campo da literatura criminal.

Mas nessa seara também vale destacar as criações de outros autores incríveis, como Agatha Christie,[2] Patrícia Highsmith[3] e Dan Brown.[4]

Novelas também trabalham muito em cima dessa narrativa. Afinal, quem não se lembra da célebre novela *A próxima vítima* escrita por Silvio de Abreu? Essa trama, recheada de suspense, traição e romance, sacudiu o país, levando os brasileiros a se perguntarem todos os dias: quem será a próxima vítima? E por quê? Quem seria o tal assassino? Dentro do mistério, apenas um Opala preto, que seguia as vítimas, era o indício de que o assassino estava por perto.

CSI
e o ensino investigativo de ciências

Contudo, a temática forense ganhou força com a chegada dos seriados policiais como *CSI*. A série, criada por Anthony Zuiker, estreou em outubro de 2000 nos Estados Unidos e foi um verdadeiro sucesso. *CSI* começou a explorar os bastidores de uma investigação criminal, colocando sob os holofotes os peritos, não os criminosos nem as vítimas. O seriado escancarou as portas dos laboratórios de biologia molecular, física e química e revelou para uma enorme audiência a importância dessas áreas para apurar a verdade. Dito de outro modo, *CSI* mostrou para a sociedade uma aplicação valiosa da ciência para se fazer justiça.

2. Escritora britânica, autora de livros famosos como o *Assassinato no expresso do oriente* (1934) e *Os cinco porquinhos* (1942).

3. Escritora norte-americana e autora de muitos livros com temáticas criminais como *Ripley debaixo d'água* e *O sol por testemunha*.

4. Escritor norte-americano e autor de grandes best-sellers como *O código da Vinci*, *Anjos e demônios* e *Fortaleza digital*.

Figura 6.1: Alunos simulando uma cena de crime. Eles atuaram como vítimas e também como policiais, que devem isolar a área, médicos legistas, que examinam o corpo, e peritos, responsáveis pela coleta e pelo armazenamento correto dos vestígios.
Fonte: O autor.

No contexto pedagógico, a utilização de elementos técnico-científicos no âmbito forense é uma estratégia poderosa para o ensino de ciências. Eu mesmo tive o privilégio de trabalhar por cinco anos em um projeto extracurricular para alunos do nono ano chamado Bandforense. Nesse projeto, um dos meus papéis como professor era justamente gamificar o curso, ou seja, adicionar elementos de jogos à experiência dos alunos. Fundado em 2012, no Bandforense os alunos aprendem uma série de técnicas e procedimentos para resolver casos criminais com auxílio de conhecimentos de física, química, biologia e matemática. O curso é recheado por sequências didáticas em que os estudantes interagem com dramatizações e simulações em um local de crime (geralmente a própria sala de aula), coleta de vestígios e análise de evidências.

GAMIFICANDO o curso forense

Em 2014, comecei a implementar um design de experiência mediado por elementos mais próximos da cultura pop, especialmente a dos *games*. Nesse mesmo ano, propus a organização do curso em temporadas e a transformação da aula em episódios. Assim, cada ano do Bandforense seria conhecido como uma temporada – para se aproximar mais da lógica dos seriados de TV.

O curso já contava com um grupo secreto no Facebook, onde professores e alunos compartilhavam registros, mas a partir de 2015 passamos a utilizar o espaço de forma mais lúdica e desafiadora. Criamos o Russel Crowel, um avatar que seria responsável pela comunicação com os alunos – agora chamados de investigadores *trainee*. O perfil do superintendente da polícia técnica-científica, Russel Crowel, também era responsável por postar atividades para os alunos como *quizzes* criados no aplicativo Socrative ou postados no Moodle.[5]

5. Ambiente virtual de aprendizagem.

RUSSEL Crowel
Superintendente da Polícia Científica de SP
56 anos, casado e tem 2 filhos
Gosta de ler Agatha Christie
Não gosta de House of Cards, prefere GoT
Define-se como um exímio observador
Gosta de cozinhar seus próprios alimentos

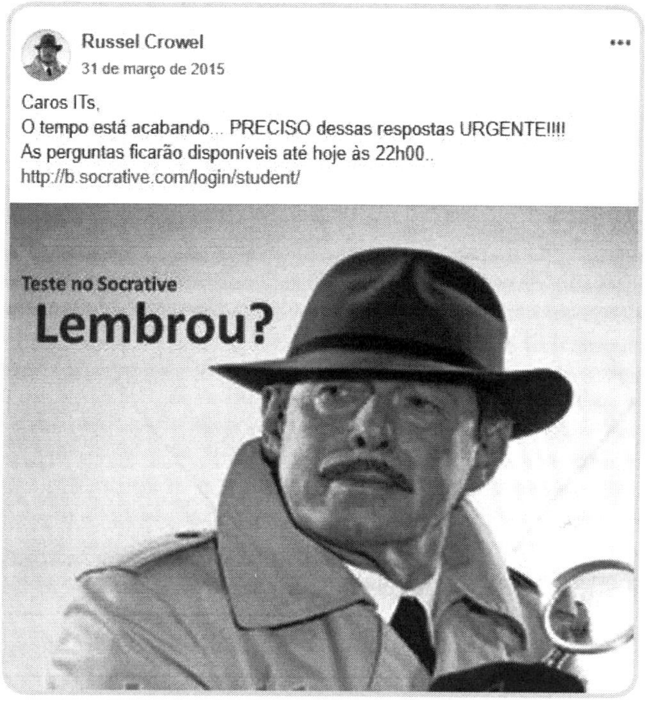

Figura 6.2: Exemplo do avatar criado para lançar desafios e se comunicar com os alunos pelas redes sociais.
Fonte: O autor.

Para oferecer aos alunos uma sensação de progressão no curso, organizamos os episódios em casos, os quais ocorriam em locais específicos

– distribuídos em um bairro fictício chamado BandVillage. Essa mecânica foi totalmente inspirada no jogo Criminal Case,[6] lançado em 2012, no Facebook. Dessa forma, a missão dos alunos era investigar e solucionar os crimes ocorridos no BandVillage, bairro de uma cidade virtual construída dentro do jogo SimCity. Com auxílio do Power Point, adicionamos pontos com números – da mesma forma que faz o brilhante jogo Criminal Case.

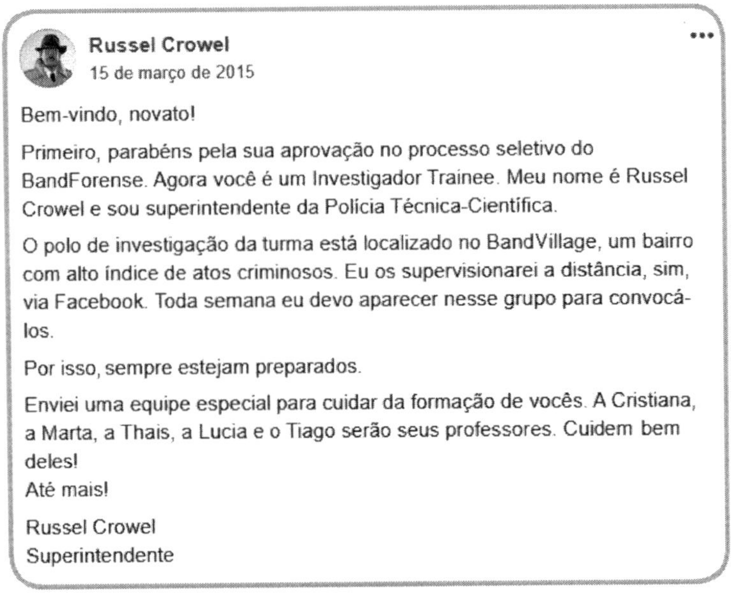

Russel Crowel
15 de março de 2015

Bem-vindo, novato!

Primeiro, parabéns pela sua aprovação no processo seletivo do BandForense. Agora você é um Investigador Trainee. Meu nome é Russel Crowel e sou superintendente da Polícia Técnica-Científica.

O polo de investigação da turma está localizado no BandVillage, um bairro com alto índice de atos criminosos. Eu os supervisionarei a distância, sim, via Facebook. Toda semana eu devo aparecer nesse grupo para convocá-los.

Por isso, sempre estejam preparados.

Enviei uma equipe especial para cuidar da formação de vocês. A Cristiana, a Marta, a Thais, a Lucia e o Tiago serão seus professores. Cuidem bem deles!
Até mais!

Russel Crowel
Superintendente

Figura 6.3: Exemplo de *post* publicado no grupo secreto do Facebook.
Fonte: O autor.

Conforme os alunos resolviam os casos, eles ganhavam novos distintivos (*badges*) e mudavam seus status dentro de um plano de carreira com nove níveis.

6. Jogo Criminal Case no Facebook.
Disponível em: <https://www.facebook.com/CriminalCaseGame/>. Acesso em: 17 mar. 2020.

NÍVEL 1: investigador *trainee*;

NÍVEL 2: investigador júnior;

NÍVEL 3: investigador criminal;

NÍVEL 4: investigador titular;

NÍVEL 5: perito júnior;

NÍVEL 6: perito assistente;

NÍVEL 7: perito adjunto;

NÍVEL 8: perito criminal;

NÍVEL 9: perito titular.

Na época, criei os *badges* usando o site Online Badge Maker de forma bem simples e prática.[7] Eles foram exportados em imagens PNG e utilizados de modo virtual e impresso pelos alunos. A cada passagem de nível, dávamos o selo do *badge* para o "investigador", o qual podia colar em uma cartela de papel. Assim, o aluno visualizava facilmente sua coleção de selos e sua evolução dentro do curso.

Para facilitar o progresso deles em relação às missões, criamos no blog do projeto uma tabela de classificação (ranking) com o nome do aluno, o número de pontos e o *badge*.

7. Disponível em: <http://www.onlinebadgemaker.com/3d-badge-maker>. Acesso em: 17 mar. 2020.

Início Experiências Plano de carreira Professores

Plano de carreira

Confira o avanço dos futuros investigadores. Os alunos do Bandforense 2015 têm trabalhado duro para seguirem firmes e fortes nesse plano de carreira. Esta lista não é hierquizada, os alunos estão organizados em ordem alfabética.

Aluno	Pontos	*Badge*
Angélica	00	
Camila	00	
Clara	00	
Clara R.	00	
Gabriela C.	00	
João F.	00	

Figura 6.4: Exemplo de tabela de classificação com exibição do nome do aluno, pontos e *badges* postados em um blog de divulgação do curso.
Fonte: O autor.

Cada atividade passou a valer uma quantidade específica de pontos. Sua tabulação e seu controle e o da mudança de nível na carreira do aluno foram feitos com auxílio de uma planilha Excel.

Alunos	XP	Nível
Angélica		
Camila		
Clara		
Clara R.		
Gabriela C.		
João F.		
João L.		
Marcelo		
Rosana		
Rosangela		
Sabrina		
Tatiana		
Thomas		
Victor		
Vitória		

Figura 6.5: Exemplo de tabela simples para monitorar a quantidade de pontos e o nível de cada estudante.
Fonte: O autor.

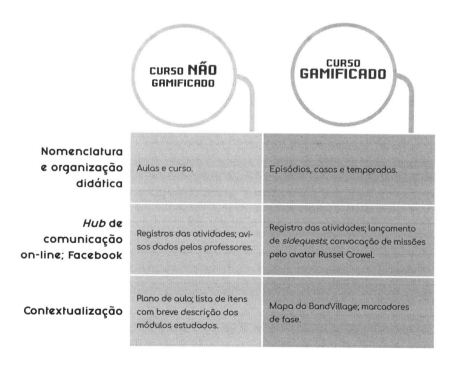

	CURSO NÃO GAMIFICADO	CURSO GAMIFICADO
Nomenclatura e organização didática	Aulas e curso.	Episódios, casos e temporadas.
***Hub* de comunicação on-line; Facebook**	Registros das atividades; avisos dados pelos professores.	Registro das atividades; lançamento de *sidequests*; convocação de missões pelo avatar Russel Crowel.
Contextualização	Plano de aula; lista de itens com breve descrição dos módulos estudados.	Mapa do BandVillage; marcadores de fase.

Progressão	Passagem das semanas e dos meses; cumprimento da lista de itens descritos no plano de aula.	Plano de carreira com conquista de níveis; avanço pelo mapa do BandVillage.
Conquistas	Não havia.	*Badges*.
Pontos	Usados para avaliar o desempenho dos estudantes.	Usados para o aluno conquistar novos níveis e alcançar novos *badges* e status dentro do plano de carreira.
Ranking	Utilizado mais pelos professores; organizado em uma planilha com notas do desempenho dos alunos.	Visível totalmente para os alunos, exibido em uma página da internet e utilizado para estimular os estudantes a cumprirem as atividades para subirem de nível.

Quadro 6.1: Comparação entre a experiência do curso de ciências forenses gamificado e não gamificado.
Fonte: O autor.

GAMEAULAS: trilhas digitais mediadas pelo computador

A partir de 2015, experimentamos outros elementos de jogos, realçando ainda mais a narrativa, a simulação digital e a exploração de cenários virtuais. Começamos a transformar mais ainda a aula em jogo e os episódios em "*gameaulas*" – mediadas por uma narrativa apresentada em computador e com desafios e atividades que os alunos resolviam fora das telas.[8] Nesse sentido, a estética dos *games* (avatar, cenários, mapa digital do BandVillage, laboratório digital etc.) foi utilizada para motivar e contextualizar o desafio que o aluno realizava externamente.

8. Todas as *gameaulas* foram desenvolvidas com auxílio da plataforma Genial.ly e do *software* de desenvolvimento de jogos Construct 2.

Outra mudança significativa percebida foi a seguinte: menor necessidade de o professor falar, explicar e orientar os alunos. Com o uso das *gameaulas*, nós, professores, passamos a intervir menos nos momentos iniciais das aulas. O aluno descobria o conteúdo explorando as telas e sendo guiado por nada mais, nada menos do que Russel Crowel, reproduzindo de forma mais contundente o que acontece quando assistimos a um episódio, a um filme, lemos um livro ou jogamos algum jogo de *videogame*. Afinal, não tem graça quando alguém nos conta o que vai acontecer, mas sim quando descobrimos por nós mesmos os próximos passos. Essa estética também é mais coerente ao processo de investigação e do desdobramento do conhecimento científico.

Nas próximas seções, você lerá breves relatos de algumas *gameaulas* criadas para os alunos no BandForense. Repare nos elementos de jogos utilizados e combinados para gamificar e modificar a experiência dos alunos dentro da sala de aula.

AS MEIAS-**VERDADES**

Inspirado ainda no Criminal Case, criamos personagens e diálogos entre suspeitos e investigadores e cenários diferentes para serem explorados. A primeira trilha gamificada que testamos foi batizada como o caso "As meias-verdades", baseado no caso real de Mércia Nakashima.[9]

Nesta *gameaula*, os alunos, primeiro, foram apresentados ao mapa do BandVillage. Em seguida, clicavam no ponto 1 para entrar no caso e conhecer a história. Aqui, a ideia era reproduzir um

9. ENTENDA O CASO MÉRCIA NAKASHIMA. *G1 São Paulo*. São Paulo, 11 mar. 2013. Disponível em: <http://g1.globo.com/sao-paulo/noticia/2013/03/entenda-o-caso-mercia-nakashima.html>. Acesso em: 18 mar. 2020.

mapa, comuns a jogos como do Super Mário Bros. ou do próprio Criminal Case, como se o aluno estivesse iniciando uma fase.

Figura 6.6: Exemplo do mapa do BandVillage.
Fonte: O autor.

Ao fazer isso, o aluno começava a tomar conhecimento sobre o fato ocorrido. Tratava-se do desaparecimento de uma jovem advogada vista pela última vez próximo de um beco. Em seguida, coletavam uma série de vestígios virtuais clicando sobre a tela. Os itens eram armazenados e "enviados" para um laboratório virtual.

No laboratório, Russel Crowel orientava sobre como os alunos deveriam proceder, especialmente em relação ao tratamento de amostras de solo aderidas à sola de um dos sapatos de um dos suspeitos. No ambiente de jogo, reproduzimos um banco de imagens com fotos de micro-organismos (algas e outros protozoários) e informações sobre o nome dos seres vivos visualizados e sua procedência. Em consonância com o caso real, dissemos então que eles (os peritos *trainee*) haviam encontrado um vestígio importante: uma alga. Feita a análise, o superintendente Russel orientava os alunos para irem ao microscópio disponibilizado em aula e solicitava para examinar algumas lâminas. Ali estava um exemplar de alga. Os alunos então examinavam o material, buscando a amostra que seria compatível com a foto exibida no computador. Assim, eles tinham que reproduzir um procedimento que os peritos fazem constantemente: a comparação.

Ao observar e perceber as semelhanças entre o que era visto na lâmina e o que era exibido no banco de dados, os alunos percebiam que o material examinado no microscópio pertencia ao local (uma represa) onde foi encontrado o corpo da vítima – reproduzindo também o processo de investigação real do caso de Mércia Nakashima. Dessa forma, podiam atestar que o suspeito esteve no local do crime.[10]

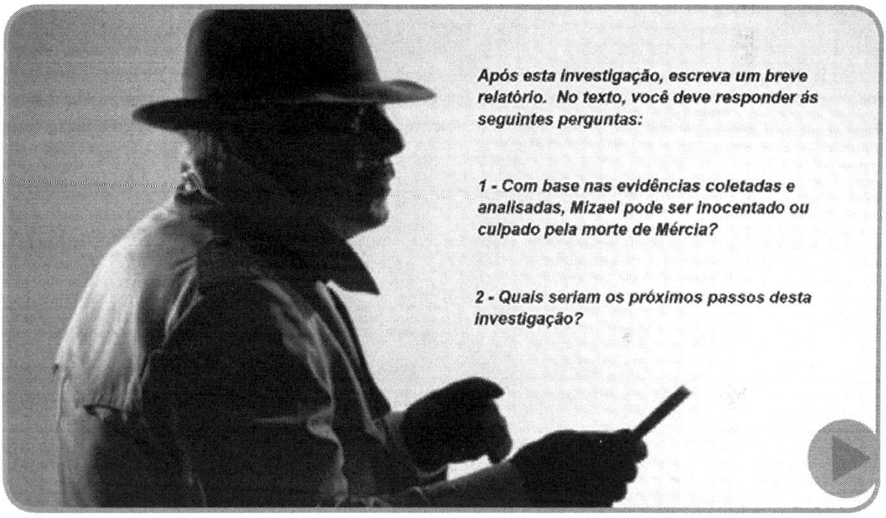

Figura 6.7: Exemplos de perguntas feitas pelo superintendente Russel Crowel no fim da *gameaula*.
Fonte: O autor.

10. TOMAZ, Kleber. Biólogo diz que alga indica presença de Mizael em represa. *G1 São Paulo*, São Paulo, 11 mar. 2013. Disponível em: <http://g1.globo.com/sao-paulo/noticia/2013/03/biologo-diz-que-alga-indica-presenca-de-mizael-em-represa.html>. Acesso em: 18 mar. 2020.

Cada grupo recebia um relatório impresso em que devia registrar os passos da investigação e fazer uma espécie de laudo ou parecer final da perícia, com base nas evidências analisadas. No final do caso, exibimos matérias e alguns vídeos sobre o caso, causando uma surpresa nos alunos – já que compreenderam que a investigação realizada por eles havia ocorrido realmente.

CRIME **da mala**

No segundo caso, chamado de o "crime da mala", os alunos tinham, primeiro, que descobrir o nome do local exato onde ocorreu determinado crime. Assim, começamos a conectar as trilhas digitais a ferramentas como o Google Maps. O processo é bastante simples na verdade. Inicialmente, criamos um mapa público com um ponto específico utilizando a ferramenta de mapas do Google. Então coletamos os dados das coordenadas geográficas desse local (latitude e longitude). Para tornar a experiência mais interessante, escondemos esses dados numéricos em *QR codes*. Dessa forma, os alunos utilizavam seus celulares para escanear os códigos e descobrirem as coordenadas geográficas.

Com auxílio do Google Maps ou do Google Earth,[11] os alunos então colocavam os números no buscador e encontravam exatamente o local do crime. Na sequência, deviam digitar o nome da rua para onde a polícia e a equipe de perícia deveriam se encaminhar. Caso não colocassem o nome correto, os grupos não conseguiam avançar as telas. Chegando ao local, o grupo deveria

11. Disponível em: <https://www.google.com.br/intl/pt-BR/earth/>. Acesso em: 18 mar. 2020.

clicar sobre a imagem, buscando pontos específicos que permitiriam uma coleta virtual de um objeto (vestígio). A mecânica *hidden object* (objeto escondido) tão utilizada em jogos *point to click*, como o Criminal Case, foi utilizada. Basicamente, nessa mecânica, o jogador devia explorar o cenário, clicar sobre os objetos (como um gaveteiro) e aguardar as ações (abrir e achar uma chave dentro de uma gaveta).

Figura 6.8: Exemplo de tela inicial do caso "crime da mala" com informações iniciais sobre a investigação que deveria ser feita pelos alunos durante a aula.
Fonte: O autor.

Os vestígios então eram enviados para o laboratório virtual de perícia, o qual analisava as amostras. No caso do crime da mala, nosso objetivo pedagógico era que os estudantes conhecessem os principais macropadrões das impressões digitais humanas. Logo, eles tinham que comparar a impressão digital coletada em uma mala com outras impressões digitais de um banco de imagens. É importante destacar que antes da interação com o caso, os professores não haviam falado nada sobre impressões digitais. Esse era na verdade o primeiro contato dos alunos com o assunto.

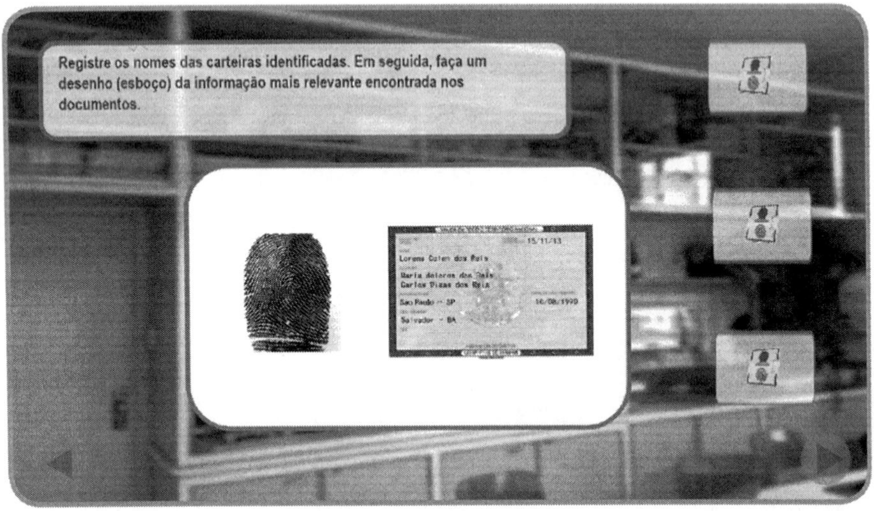

Figura 6.9: Tela que apresentava o documento de identificação fictício e a impressão digital do suspeito.
Fonte: O autor.

A ideia do caso foi criar um contexto propositivo para que os estudantes percebessem que as nossas impressões digitais têm padrões definidos e que o estudo desses macropadrões ajuda a desvendar a verdade e fazer justiça com base em evidências. Nos episódios subsequentes, os alunos se aprofundaram no tema, aprendendo sobre os nomes desses macropadrões e também sobre as técnicas de produzir as marcas das impressões digitais e de coletá-las em diferentes superfícies.

TERROR NAS ALTURAS **e sangue no laboratório**

No curso de ciências forenses, um dos módulos mais esperados pelos alunos é o de estudo do sangue. Nessa *gameaula*, os alunos recebem um chamado de uma vítima que foi arremessada da janela de um apartamento. Todo o caso foi baseado em Isabella Nardoni.[12]

Os alunos também tiveram que localizar o endereço correto do local do crime com o auxílio das coordenadas geográficas. Chegando ao local virtualmente, eles não encontraram nenhum vestígio relevante. Clicavam sobre a tela algumas vezes até surgir uma dica preciosa: utilizar um reagente quimioluminescente que reage com o sangue, emitindo uma luz azul brilhante.

No caso, os alunos estavam começando a aprender sobre o luminol. O reagente era aplicado no lugar e, então, eles clicavam sobre um interruptor digital que apagava a luz do local. O ambiente ficava um breu, restando um pequeno foco de luz (reproduzindo o efeito de uma lanterna). Os alunos vasculhavam diversos cômodos à procura de manchas de sangue. Uma barra de progresso permitia o aluno acompanhar sua evolução na coleta dos vestígios dispostos no banheiro, na sala, na garagem, no quarto e na cozinha. Cada cômodo era representado por uma imagem que poderia ser acessada por meio de botões dispostos na tela.

Nesse módulo, a principal atividade mão na massa foi a de tipagem sanguínea. Para realizar esse procedimento, utilizamos kits com reagentes específicos.[13] É muito comum os alunos errarem o proce-

12. TUDO SOBRE ISABELLA NARDONI. *G1*. São Paulo. Disponível em: <https://g1.globo.com/tudo-sobre/isabella-nardoni/>. Acesso em: 18 mar. 2020.

13. Estes kits são compostos de um conjunto de soros Anti-A, Anti-B etc.

dimento e terem que repetir o teste, principalmente em decorrência da contaminação dos palitos misturadores. Nós, professores, também costumávamos despender grande parte do tempo da aula explicando o passo a passo, enfatizando a importância de evitar a contaminação.

Esse cenário foi modificado com a implementação da gamificação de conteúdo por meio das *gameaulas*, visto que após a coleta das manchas digitais de sangue, as amostras eram enviadas para um laboratório virtual e os alunos simulavam todo o procedimento a partir de orientações exibidas na tela. Os alunos então utilizavam um conta-gotas digital, adicionando o anticorpo às lâminas com amostras de sangue. Após a mistura, o aluno observava o resultado da reação: o sangue aglutinava ou não. A atividade forçava o aluno a sair da *gameaula* e pesquisar sobre o significado daquilo, do processo de aglutinação do sangue. Assim, o grupo de alunos utilizava seus celulares e os computadores disponíveis para pesquisar informações que lhes permitissem interpretar o que estava, de fato, ocorrendo.

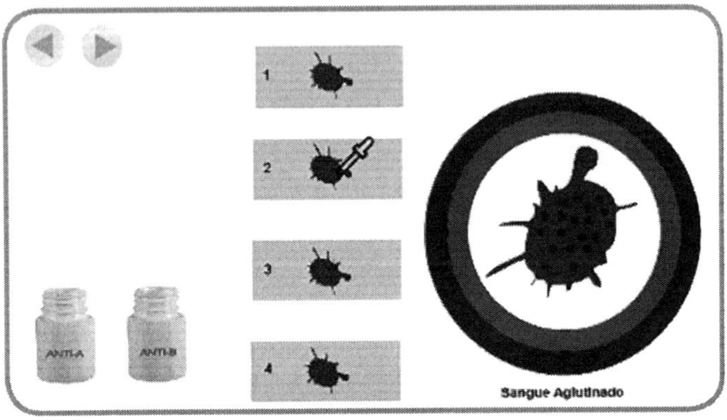

Figura 6.10: Exemplo de tela em que os alunos realizavam a tipagem sanguínea digital, manuseando um conta-gotas digital para "misturar" Anti-A e Anti-B às amostras de sangue.
Fonte: O autor.

Todavia, nem sempre o problema era resolvido. A vontade de entender e seguir as telas era tanta que eles prontamente pediam a explicação para o professor. Era nessa hora que entrávamos em ação com uma aula expositiva dialogada com os alunos sobre o tecido sanguíneo, explicando seus componentes e o significado da aglutinação – que fazia um sangue ser A, B, AB ou O.

Com a chegada da gamificação e o uso das *gameaulas*, a explicação e a síntese eram demandas dos alunos e não uma imposição dos professores. A demanda do professor permanecia, porém naquele momento estava sendo resolvida de outra forma, a partir de um desenho de aula gamificada que instalava uma necessidade real do aluno por esse conteúdo.

Outro efeito interessante da gamificação de conteúdo e das *gameaulas* é que percebemos que os alunos seguiam para a prática muito mais preparados e erravam menos, tornando a atividade mais rápida e sem grandes frustrações. O que o processo de gamificação e a *gameaula* fizeram na verdade foi o mesmo que os simuladores de voos fazem com os pilotos de aviões: aprendizagem antecipada, segura e acelerada.

BANDFORENSE GO: **uma *gameaula* inspirada em Pokémon Go**

No ano de 2012, publiquei um artigo na revista *Ciência & Educação* em que apresentava uma chave dicotômica multimídia para a identificação de artrópodes. Em 2016, tive a oportunidade de estruturar essa mesma atividade de forma um pouco diferente, mais inspirada na moda da época, o Pokémon Go.[14] A ideia foi reproduzir uma caçada, não dos simpáticos Pokémons, mas sim dos artrópodes, uma vez que o curso abordava também a importância do estudo dos insetos (entomologia) para as práticas forenses.

Criei assim o Bandforense Go, jogo em que os alunos movimentam um avatar caçador de artrópodes em um mapa visto de cima. Nesse cenário, os alunos coletavam "pokébolas" e exploravam o ambiente, perseguindo escorpiões, besouros, lacraias, moscas, vespas etc. Da mesma forma que em Pokémon Go, as silhuetas dos artrópodes eram visualizadas apenas quando estavam próximos ao avatar. Havia assim um radar que sinalizava quais tipos de animais estavam nas proximidades, aumentando a empolgação dos alunos, que desejavam caçar todas as espécies.

Porém, à medida que o avatar se deslocava pelo cenário, sua barra de energia diminuía, forçando-o a coletar brócolis para se manter bem nutrido e disposto para a caçada. Ao fazer isso, adicionei uma chance real de fracasso para o estudante. Caso ele não comesse brócolis e a barra de energia se esgotasse, a atividade de caça começava do zero e o jogador, então, deveria caçar novamente o número mínimo (15) de artrópodes para prosseguir.

A ideia foi criar uma experiência gamificada dialogando com o universo do aluno. Mas o propósito foi utilizar as silhuetas digitais dos animais coletados no jogo para que, posteriormente, o aluno fizesse uso de uma chave dicotômica (instrumento utilizado pelos biólogos para classificar espécies) e identificar os artrópodes coletados e armazenados em uma "artropodéx" virtual (algo bastante similar à pokedéx do jogo dos Pokémons), conforme os

14. Pokémon Go é um jogo eletrônico para smartphone. Disponível em: <https://pokemongolive.com/pt_br/>. Acesso em: 18 mar. 2020.

critérios científicos. Não utilizamos o jogo pronto, mas sim suas mecânicas para criar uma experiência lúdica, gamificada, divertida e relacionada à cultura que o aluno estava inserido.

LEVANTANDO **VOO**

Em outro episódio, os alunos tinham que se deslocar da região sudeste para a região nordeste do Brasil a fim de continuar uma investigação forense. Nesse caso, simulamos um voo com diversas escalas. Os alunos "embarcavam" em um aeroporto e, para prosseguir, deveriam descobrir o nome da próxima cidade em que fariam escala. Utilizamos a mesma mecânica das coordenadas geográficas associadas ao Google Maps apresentada anteriormente. No entanto, resolvemos mudar a forma como os alunos descobriam as latitudes e longitudes. Como queríamos oferecer a eles uma experiência cultural, conhecendo e investigando diferentes cidades brasileiras, criamos uma parede "viva". Selecionamos fotos de diversas cidades brasileiras e inserimos nelas uma camada digital com informações sobre as coordenadas e também alguma imagem, música ou vídeo que remetesse à região. Utilizamos a realidade aumentada para fazer isso. Criamos todas as aplicações em um *app* gratuito chamado HP Reveal.[15] Em um relatório impresso, os alunos deveriam registrar as cidades do seu itinerário do voo, gerando uma rota pelo espaço aéreo brasileiro. Ao posicionar a câmera do celular em frente à imagem, uma mídia digital era exibida, assim como as informações numéricas das coordenadas. Os alunos então

15. Veja o site do HP Reveal. Disponível em: <https://www.hpreveal.com/>. Acesso em: 18 mar. 2020.

anotavam esses números e inseriam no buscador do Google Maps, localizando a cidade. O nome da cidade deveria ser inserido na *gameaula*, a qual validava se estava correto ou não. Estando correto, uma nova caixa era exibida e o aluno prosseguia no itinerário de voo até chegar ao seu destino.

GAMEAULAS	ELEMENTOS DOS JOGOS PRESENTES
As meias-verdades	Narrativa digital; banco de imagens.
Crime da mala	Narrativa digital; banco de imagens; *QR code*, Google Maps, senha; *hidden objetc*.
Terror nas alturas	Narrativa digital; banco de imagens; *QR code*, Google Maps; senha; *hidden object*; barra de progresso; coleta de itens; simulação da tipagem sanguínea.
Bandforense Go	Narrativa digital; banco de imagens; *QR code*; Google Maps; senha; *hidden object*; barra de progresso; coleta de itens; jogo da caçada de artrópodes; chance real de fracasso.
Levantando voo	Narrativa digital; banco de imagens; *hidden object*; barra de progresso; realidade aumentada; Google Maps; senha.

Quadro 6.2
Fonte: O autor.

Nessa tabela, é interessante observar o incremento gradativo das *gameaulas*. Esse é o percurso esperado para qualquer projeto que desejemos gamificar. É importante começar pequeno, pensar grande e andar rápido. Ou seja, é recomendável utilizar mecânicas mais simples e rápidas no início e aos poucos ir combinando outras para tornar a experiência mais interessante e sofisticada. Todas as mecânicas descritas modificaram de algum modo o conteúdo. Assim sendo, podemos dizer que essa tabela apresenta exemplos e possibilidades de gamificação de conteúdo. Contudo, no início deste capítulo descrevi níveis, pontos e *badges*, elementos típicos de uma gamificação estruturada. Observe também o uso e a combinação de diferentes tecnologias digitais ao processo de gamificação, do *QR code* aos serviços de geolocalização. Conte com esses serviços para gamificar conteúdos e criar desafios mais interessantes para os alunos.

7 DESIGN THINKING GAMIFICADO: CRIANDO EXPERIÊNCIAS GAMIFICADAS EM UM **CURSO PARA PROFESSORES**

Uma das abordagens mais recomendadas para solucionar problemas complexos, sem dúvida nenhuma é o *design thinking* (DT). No contexto pedagógico, as três grandes aplicações que motivam as pessoas a adotarem o DT como abordagem na educação são: inovação, solução de problemas e estratégia de ensino-aprendizagem.

Diante de um mundo em constantes e rápidas transformações, especialistas em educação escolar repensam suas práticas e, inclusive, seu propósito no mundo. Não há dúvida de que a principal característica da chamada reinvenção da educação é a mudança do papel do professor em sala de aula, que deixou de ser o único detentor do conhecimento e passou a mediar o processo de aprendizagem, além de considerar os estudantes como protagonistas e autores do conhecimento.

Nesse processo de inversão, o DT é uma abordagem poderosa e valiosa para os professores mediarem aprendizagens baseadas em projetos, em que os alunos criam impacto no mundo com suas ideias.

Em 2016, tive a oportunidade de conhecer essa abordagem por meio do trabalho realizado pelo Instituto Educadigital, que traduziu o material da IDEO para o português, popularizando o DT e sua aplicação no contexto educacional brasileiro. Na época, coordenava também uma pós-graduação de *games* e tecnologias da inteligência aplicados à educação com foco na formação de professores. A turma era composta de cerca de vinte professores da educação básica, tanto da rede pública como da privada. Havia também profissionais ligados a faculdades e universidades que desejavam aprender mais sobre o universo da educação e o uso de tecnologias digitais e novas metodologias em sala de aula.

ARG: **jogos de realidade alternativa**

Além da coordenação do curso, ministrava algumas disciplinas, dentre elas a de jogos pervasivos. De forma bem resumida, o objetivo dessa disciplina era mostrar como poderíamos replicar a experiência dos jogos de *videogame* para o mundo físico. A ideia era mostrar exemplos e maneiras de o aluno se sentir um jogador andando em uma cidade, frequentando um museu ou explorando uma floresta. O foco da disciplina era trabalhar com os jogos de realidade alternativa (*Alternate Reality Game* ou ARG).[1]

Os ARGs são um tipo de jogo eletrônico que combina as situações de jogo com a realidade, recorrendo às mídias e aos elementos do mundo real, de modo a fornecer aos jogadores uma experiência híbrida e interativa. Os ARGs envolvem os jogadores

1. Uma discussão interessante sobre o uso de tecnologias para criar espaços de convivência híbridos e multimodais pode ser encontrado aqui: SCHLEMMER, Eliane. Gamificação em espaços de convivência híbridos e multimodais: design e cognição em discussão. *Revista da FAEEBA Educação e Contemporaneidade*, Salvador: Universidade do Estado da Bahia, v. 23, n. 42, 2020. Disponível em: <https://www.revistas.uneb.br/index.php/faeeba/article/view/1029>. Acesso em: 19 mar. 2020.

nas histórias a partir de um roteiro com cenários, personagens e suas motivações. Muitos ARGs também se desenvolvem a partir de sites, e-mails, envio de SMS, telefonemas, entre outros meios de comunicação comuns.[2]

Assim como qualquer outro jogo, os ARGs podem ter um único objetivo ou múltiplos, podendo ser sequenciais ou não. É muito importante que a atividade conte com um enredo envolvente – que pode ser do tipo heroica (por exemplo, enfrentar desafios épicos, derrotar inimigos); investigativa (descobrir o assassino de um crime, desvendar enigmas etc.); exploratória ou metafórica (com elementos simbólicos, alegorias, semiótica etc.). Para planejar um ARG, deve-se levar em consideração diversos fatores, como o tempo disponível, o conhecimento da infraestrutura local (muitas vezes exige que o criador faça um mapeamento do espaço antes), o número de participantes, a divisão dos alunos em grupos, a necessidade de dispositivos móveis (celulares e *tablets*) e de conexão com a internet

Como estava infectado com o vírus das notas de lembretes e a mania de pregar cartaz com massinha adesiva em qualquer superfície, resolvi modificar a experiência da minha disciplina, colocando os alunos como protagonistas e criadores de um jogo pervasivo com o uso do DT. Para mostrar na prática como poderiam ser utilizadas diversas tecnologias e mecânicas de jogos em espaços físicos, resolvi então juntar o útil com o agradável e gamificar a minha sessão de DT.

Para o pleno entendimento do uso da gamificação no DT, acredito que seja importante antes eu me aprofundar mais na abordagem,

2. Para obter informações sobre a aplicação do ARG na prática, recomendo a palestra de Jane McGonigal e Daniel Zalewski. Disponível em: <https://youtu.be/-nzsy6_qaaM>. Acesso em: 19 mar. 2020.

explicando ao menos suas principais etapas e a lógica geral de funcionamento e execução.

ETAPAS DO *design thinking*

A abordagem do DT pode ser estruturada em três etapas principais: imersão, ideação e prototipagem. No entanto, outros autores e *frameworks* trabalham com a abordagem dividida em cinco etapas: imersão ou descoberta, análise e síntese (interpretação), ideação, prototipação e validação/implementação (também conhecida como evolução). Vamos conhecer um pouco mais sobre cada etapa.

Imersão **descoberta**

Em alguns *frameworks*, essa etapa também recebe o nome de "empatizar". Seu objetivo é aproximar as pessoas interessadas ao contexto do problema. O grupo precisa se colocar no lugar do outro e sentir as dores e as necessidades do usuário que passa realmente pelo problema em discussão. Não é para menos que se fala tanto em empatia no início de qualquer processo de DT. A partir da imersão e do processo de empatia, o grupo pode levantar informações e fazer observações pertinentes.

Análise e síntese – **interpretação**

Etapa em que se organiza as informações coletadas, facilitando a identificação de desafios e oportunidades. O grupo poderá construir um cartaz com os dados mais relevantes, um mapa mental exibindo com mais clareza a relação entre conceitos, situações ou fenômenos de causa e efeito, um infográfico ou um fluxograma quando pensamos em problemas envolvendo processos, gestão e serviços.

Ideação - ***brainstorming***

Na terceira etapa, o grupo deve gerar o maior número possível de ideias centradas no problema em questão. O processo é altamente colaborativo. É o momento em que os integrantes do grupo precisam ouvir as ideias dos outros, por mais malucas que sejam. Nessa etapa, evita-se qualquer julgamento, pois o importante é a quantidade de ideias geradas. No final, o grupo precisa selecionar ao menos uma ideia do grupo e seguir para a próxima etapa.

Proto**tipagem**

Esta quarta etapa promove a tangibilização das ideias geradas, a fim de retirá-las do plano abstrato e trazê-las para o plano real. O grupo precisa comunicar a ideia de alguma forma. Em geral, os grupos constroem maquetes ou então realizam alguma dramatização que represente a sua solução. A prototipagem tem um objetivo bem simples: testar uma ideia com pessoas reais e observar se a solução agrega algum valor para o usuário.

Validação e/ou **implementação**

Nesta etapa, o grupo deve buscar a validação de suas ideias junto às pessoas interessadas e possíveis clientes para captar a percepção, encontrar ajustes necessários e gerar um conhecimento contínuo ao longo do processo de implementação.

O processo de DT não deve ser encarado como um percurso linear. Ele não pode ser enquadrado nem como metodologia, porque os facilitadores podem ajustar esse caminho como desejar, inclusive, foi exatamente o que fiz. Utilizei outras ferramentas para gerar uma experiência diferente com os alunos-professores do curso de pós-graduação.

A primeira coisa que fiz foi transformar o processo de imersão e descoberta do desafio em um caça ao tesouro. Espalhei uma série de *QR codes* pelo espaço interno e externo onde aconteceria a aula. É importante mencionar que as disciplinas dessa pós-graduação ocorriam sempre aos fins de semana. No sábado, expliquei para os alunos que eles participariam do desafio que batizei de "A invenção da criação", constituído por várias missões. O desafio foi contextualizado por uma breve apresentação de artistas, estudiosos e cientistas de diversas áreas que recriaram o universo com suas descobertas, como Leonardo da Vinci, Galileu Galilei, Piaget, Vygotsky, Wallon, Paulo Freire, dentre muitos outros.

OPERAÇÃO **QR**

Após o primeiro momento de acolhimento dos alunos, compartilhei um link com eles, por meio do qual se acessava uma tela referente à primeira missão e que solicitava uma senha secreta. Comuniquei então à turma que eles deveriam utilizar seus celulares para buscar informações no ambiente e descobrir a misteriosa senha. A missão recebeu o nome de "Operação QR", por razões bem óbvias. Toda atividade ocorreu ao som da trilha sonora do filme *Missão Impossível*. Para cada *QR code* foi associado uma mídia diferente para que os próprios alunos percebessem o valor da ferramenta e do uso prático para explorar diferentes conteúdos.

QR CODE 1:
música "Planeta água", de Guilherme Arantes;

QR CODE 2:
vídeo no YouTube de uma chuva torrencial;

QR CODE 3: :
poesia sobre os quatro principais elementos
da natureza (água, terra, fogo e ar);

QR CODE 4:
imagem aérea de um rio.

Com base nas informações coletadas, os grupos deveriam digitar a palavra "água" no campo solicitado. Digitando corretamente, outra tela era exibida com informações mais detalhadas sobre o desafio de design que os alunos iriam encarar.

Figura 7.1: Professora buscando *QR codes* espalhados pela sala de aula.
Fonte: O autor.

Veja, em uma sessão de DT é comum o facilitador já chegar com um desafio pronto para o grupo. Foi exatamente isso o que fiz. Nesse caso, a gamificação foi utilizada apenas para modificar a forma como eles descobriam esse desafio, a partir de uma caça ao tesouro, mobilizando o corpo e a postura ativa do estudante na busca pelos *QR codes*, bem como na organização dos dados e na construção de relações para intuir sobre a senha que dava acesso ao seguinte desafio: **como podemos criar uma experiência de ARG com o tema água para alunos da educação básica?**

MATRIZ **de polaridades**

A matriz de polaridades, bastante usada em sessões de DT, foi utilizada para esquentar a discussão entre os alunos e motivá--los a pesquisarem sobre o tema. A matriz de polaridade consiste em uma ferramenta rápida na qual os participantes devem destacar pontos positivos e negativos de determinado tema. Nessa ferramenta, uma folha de *flip chart* é dividida ao meio e em uma parte o grupo escreve a palavra “sonhos” (ou desejos, luz etc.), sinalizando o que seria o ideal sobre aquele tema, e na outra parte “pesadelos” (ou entraves, sombras etc.), sinalizando aspectos mais negativos e que causam algum tipo de desconforto, sendo necessário evitá-los. As ideias são escritas em marcadores que podem ser colados espontaneamente sobre o papel. Em seguida, os alunos agrupam as ideias por afinidade, assim nascem diversos *clusters* de ideias. Para cada *cluster*, o grupo pode atribuir um nome (sintetizando todas as ideias pertencentes ao grupo). Cada grupo escolhe um *cluster* (do lado dos sonhos ou dos pesadelos) para trabalhar.

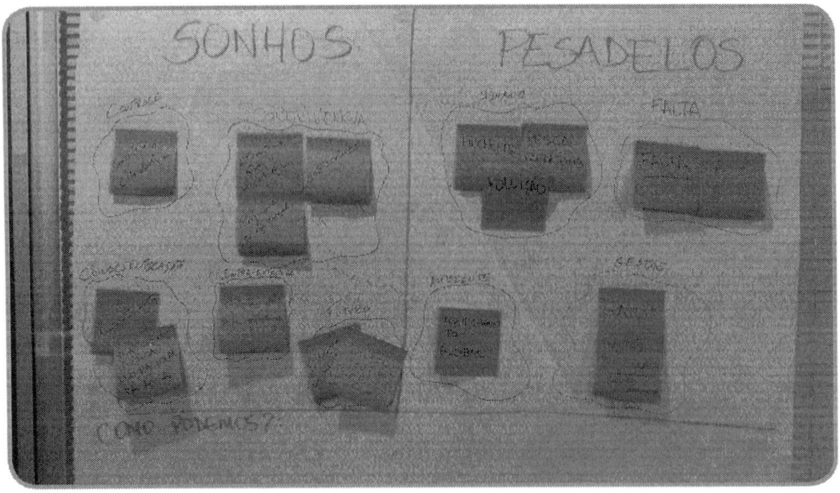

Figura 7.2: Exemplo de matriz de polaridades criada por um dos grupos de professores.
Fonte: O autor.

SEGUNDA MISSÃO: **operação Pixar**

Como esperado, os alunos realizaram um levantamento de ideias lógicas (partindo de uma visão analítica) do tema proposto. No entanto, o desafio envolvia a criação de uma "realidade alternativa" que suscitava uma narrativa fantasiosa, mais próxima do universo da cultura pop de desenhos animados, jogos de RPG, revistas em quadrinhos e filmes de ficção científica.

Dessa forma, os grupos foram orientados a participarem de outro desafio conhecido como "Operação Pixar". Nessa atividade, os alunos tiveram vinte minutos para buscarem na internet referências de filmes, séries, desenhos e histórias em quadrinhos relacionadas de algum modo com o tema água. Muitas ideias foram compartilhadas, como a lenda da mãe d'água, o enredo dos filmes *Procurando Nemo*, *Pequena sereia* e a história do Aquaman.

MATRIZ **da criatividade**

Solicitei para que retornassem à matriz de polaridades criada e que gerassem ao menos cinco palavras associadas ao nome do *cluster* de ideias escolhido. Essas palavras geradas foram utilizadas na atividade seguinte do processo de DT denominada de matriz da criatividade. O objetivo dessa atividade foi descontruir a análise puramente lógica e racional feita na matriz de polaridade e criar outras ideias mais inusitadas e criativas para alimentar um roteiro e uma estética mais divertida e próxima da realidade da cultura pop.

Os grupos, então, escreveram as cinco palavras geradas na primeira linha horizontal, em ordem, da esquerda para a direita. Em seguida, repetiam-se as mesmas palavras na primeira coluna, na mesma ordem, de baixo para cima. A atividade consistia em relacionar as diferentes palavras e criar uma nova palavra a partir da relação estabelecida. Por exemplo: do cruzamento entre "fogo" e "animal" poderia surgir a ideia de "dragão", e do cruzamento entre "girar" e "cavalo" pode surgir a ideia de "carrossel".

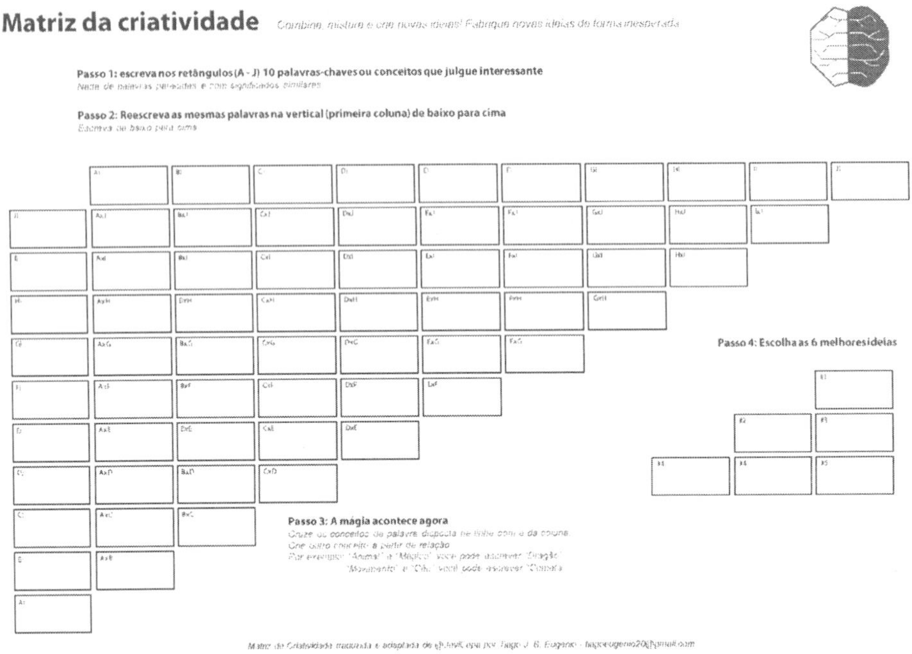

Figura 7.3: Matriz da criatividade utilizada para gerar ideias mais inusitadas a partir da combinação de ideias mais objetivas e analíticas sobre o tema.
Fonte: O autor.

MAPA **de empatia**

Em seguida, cada grupo preencheu um mapa de empatia, já endereçando de forma mais focada a atividade para o público-alvo. O mapa permitiu aos grupos descobrirem com mais detalhe o que o aluno, de fato, deseja e prefere, oferecendo uma experiência gamificada mais adequada para a faixa etária escolhida.

Figura 7.4: Exemplo de mapa de empatia utilizado durante uma sessão de *design thinking*.
Fonte: Desconhecida.

RODA DE **competências cognitivas**

Além de focar o desafio, os grupos deveriam pensar nas competências e nas habilidades que desejavam desenvolver nos alunos com a atividade. Essa ferramenta foi desenvolvida por mim e utilizada para exprimir da forma mais clara possível a intencionalidade pedagógica do professor no desenvolvimento da atividade. Nessa fase, os grupos, com base no desafio e no mapa de empatia, tiveram que elencar quais habilidades seriam demandadas pela atividade gamificada. Nessa ferramenta, os professores tinham que pensar o que desejariam que os alunos realizassem ao participarem da atividade gamificada, pintando os espaços da roda de competência. Cada habilidade recebia uma nota de 0 a 10, sendo 10 o valor que sinalizaria que a atividade desenvolvia plenamente tal habilidade e zero simbolizando que a atividade não tinha nenhum compromisso para desenvolvê-la.

A roda de competências foi dividida em quatro grandes competências: argumentar, ordenar, contextualizar e teorizar. Essas competências são desenvolvidas pelo uso e pela prática de algumas habilidades específicas. Nessa ferramenta, cada competência é resultado das três habilidades mostradas a seguir.

ORDENAR	**Relacionar:** comparar (perceber semelhanças e diferenças, distinguir); estabelecer relações simples e múltiplas entre fatos situados no mesmo plano ou hierarquicamente ordenados, discriminar causas e efeitos, antecedentes e consequentes, meios e afins; variar fatores, relacionar proporcionalmente etc.
	Reunir: compor conjuntos ou sistemas a partir de elementos, recompor a partir de elementos dissociados; construir novos sistemas ou objetos etc.
	Classificar: aproximar ou distinguir por semelhanças ou diferenças, ordenar classes por generalização de forma crescente ou decrescente; dividir gêneros em espécies e encaixar espécies em gêneros etc. Ordenar segundo certos critérios (numéricos ou físicos), seguir sequências ou progressos, seriar cronologicamente etc.
TEORIZAR	**Transpor:** transformar, reproduzir modificando; interpretar segundo vários critérios etc.
	Induzir: observar, experimentar, propor hipóteses, comprovar hipóteses pela experiência etc.
	Deduzir: compreender relações necessárias, justificar logicamente, demonstrar etc.

CONTEXTUALIZAR	**Representar:** interpretar ou exprimir relações graficamente (croquis, gráficos, diagramas, cortes, cartas etc.) ou símbolos.
	Conceituar: explicar, analisar ou desenvolver conceitos de modo lógico ou operacional.
	Localização: seguir trajetos no tempo e no espaço; situar fenômenos e eventos nesses dois sistemas de referência.
ARGUMENTAR	**Sintetizar:** reduzir a elementos fundamentais ou essenciais; escolher, selecionar elementos segundo certos critérios; reduzir a esquemas, quadros sinópticos, sumários, condensar; compreender (apreender relações essenciais) etc.
	Julgar: avaliar, discutir e atribuir valores, apreciar, criticar.
	Analisar: decompor objetos ou sistemas em elementos constitutivos, enumerar qualidades, propriedades, descrever, narrar etc.

Quadro 7.1
Fonte: O autor

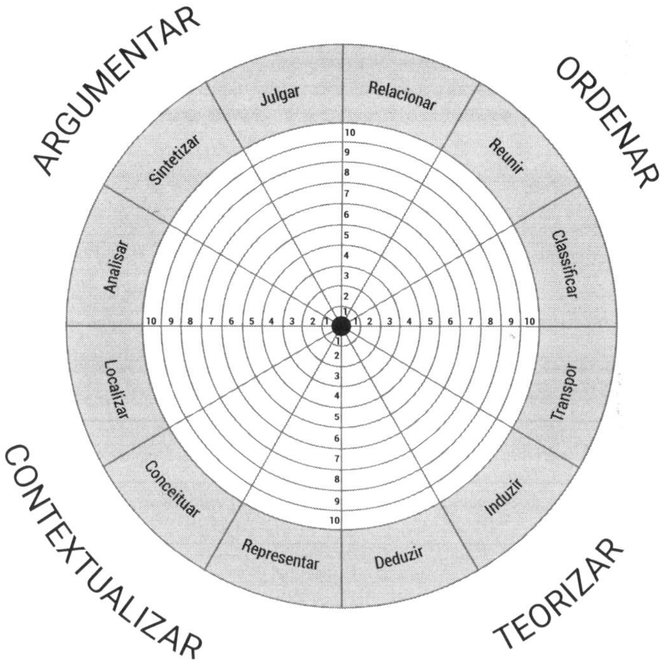

Figura 7.5: Roda de competências.
Fonte: O autor.

FRAMEWORK PARA DESENHAR **um ARG aplicado à educação**

Após a realização dessas atividades iniciais, os grupos adquiriram mais repertório técnico e elementos lúdicos para pensarem em uma atividade gamificada com o tema água. O início da criação da solução para o desafio proposto ocorreu durante a fase de ideação, em que os alunos realizaram um *brainstorming* e propuseram diferentes ideias para criar uma experiência gamificada para alunos da Educação Básica.

Em seguida, os alunos partiram para a fase de experimentação e prototipagem. Para facilitar a organização da experiência projetada, criei um *framework* para preencherem e realizarem um *checklist* dos itens necessários para realizar a atividade.

FRAMEWORK | *ALTERNATE REALITY GAME*

Por Tiago J. B. Eugenio

Tema

Variáveis de organização

- ☐ Tempo da atividade.
- ☐ Número e características dos jogadores.
- ☐ Recursos humanos.
- ☐ Uso de mídias, recursos materiais, espaço.

1 – Observar para entender e gerar ideias (matriz de polaridade)

Elencar os grupos (*cluster*) de ideias geradas a partir da matriz de polaridade (olhar analítico).

#Sonho	#Pesadelo

2 – Geração de ideias inusitadas (matriz de criatividade)

Desconstrução do óbvio, do olhar técnico e analítico. Construção de um Círculo Mágico, de ideias divertidas e curiosas. Pode-se criar uma matriz para cada *cluster* ou escolher um ou dois para gerar ideias... (depende do grupo e do tempo disponível). A experiência cria forma mais rápido quando se escolhe um ou dois *clusters*.

3 – Banco de ideias geradas a partir da matriz

As ideias ajudam a criar estruturas de: narrativa, trilhas, lógicas de interação e desafios diretos.

#	#

4 – Construção do desafio da equipe

Como podemos... <Ação> <Estratégia> <Público-alvo>

5 - Mapa de empatia (conhecendo o público-alvo)

6 - Elementos de gamificação

Dica: não adicione muitos. Dois para cada quadrante é o suficiente.

# Dinâmica	# Mecânica	# Componentes

7 - Competências e habilidades

Destaque as competências e as habilidades mapeadas na "Roda de competências".

8 – Matriz de integração

Não há uma única maneira de iniciar o preenchimento dessa matriz. O grupo precisa definir. Ainda, pode-se acrescentar novas colunas caso o grupo julgar necessário ou então ignorar alguma coluna (por exemplo, "perfil e característica do jogador"). Sugestão: olhe para a "Roda de competências", observe quais habilidades obtiveram um número maior de pontos e inicie por ela. Em seguida, preencha a competência que se refere a essa determinada habilidade. Na sequência, pense na interação que expressará ou exigirá do jogador essa habilidade/competência. Finalmente, reflita de que forma a interação se relaciona com os elementos de gamificação e com o mapa de empatia.

Número da interação	**Competência** Contextualizar, ordenar, teorizar, argumentar.	**Habilidade** Sintetizar, julgar, relacionar, reunir, localizar, conceituar etc.	**Interação** Descrever com detalhes como será esta interação. Uso de alguma ferramenta mediadora (realidade aumentada, *QR code*, registro em vídeos, áudio, informação escondida, enigma lógico). Se há intenção de apresentar algum "conceito" ou solicitar um tipo de registro específico (foto, vídeo, texto, etc.	Elementos de gamificação Como se relaciona a interação descrita na coluna à esquerda com os elementos da gamificação (mecânica e componentes)?	Perfil/Característica Utilizar informações do mapa de empatia criado. A interação projetada se relaciona com algum item levantado no mapa de empatia?

9 - Imersão

Como pretende criar imersão? Como pretende transportar o indivíduo da realidade para a ação gamificada?

- ☐ Narrativa >> Criar um *storyboard* com o banco de ideias gerados no item 3.
- ☐ A narrativa pode ser heroica (tem que enfrentar desafios), investigativa (questionadora, exploratória), metafórica (imaginativa, simbólica e reflexiva), linear ou não linear.
- ☐ Experiência sensorial >> Uso do corpo, dos sentidos, apresentação de um estímulo sensorial, limitar o uso de canais sensoriais do indivíduo (visão, audição, tato, etc.)
- ☐ Pista "viva", elementos emocionais que favoreçam a alteridade, elementos simbólicos, estéticos e corporais.

10 - Estrutura, enredo e feedback

- ☐ Qual é o enredo? Qual é o problema, desafio?
- ☐ Objetivo único ou múltiplo? (Não hierarquizado ou hierarquizado.)
- ☐ Personagens: descreva os personagens criados.
- ☐ Pista "viva", ou seja, uso de pessoas que informam uma pista: presencialmente, por vídeo ou áudio; elementos emocionais que favoreçam a alteridade, elementos simbólicos, estéticos e corporais.
- ☐ O jogo será competitivo/colaborativo?
- ☐ Mapeamento do espaço. Como é o espaço? Quais são as possibilidades, as limitações?
- ☐ Como manter o ânimo do jogador? Como ele receberá feedback da sua jornada?
- ☐ Quando apresentar o feedback? Constante? Só no fim? Em alguns momentos?
- ☐ Que ferramenta utilizar para otimizar a exibição do feedback? On-line? Física?

Finalizo este capítulo descrevendo o resultado desse percurso gamificado com os professores. Vamos agora conhecer os dois protótipos criados.

EM BUSCA DO SUSHI DOURADO: **uma aventura do Brasil ao Japão**

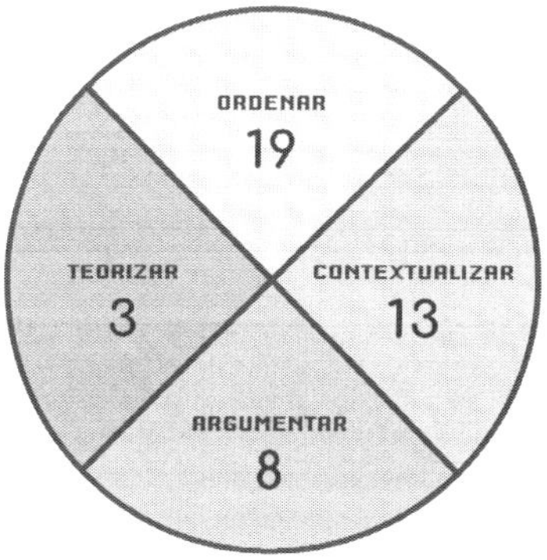

Após encontrar um *QR code*, o participante era direcionado para a página da "Mãe d'água conselheira" do Facebook. Nessa página, o usuário encontrava uma mensagem explicando os objetivos da atividade. De forma bem resumida, o jogador deveria buscar o sushi dourado derrotando monstros pelo caminho. O objetivo era que os alunos pudessem conhecer diferentes personagens do folclore brasileiro e os mistérios envolvendo os rios e as misteriosas lendas d'água, dos mitos e da preservação, resgatando a Yara, o nego d'água, o caboclo d'água, a cobra Norato e o pirarucu.

Além disso, os alunos também entravam em contato com conteúdos relacionados a personagens fictícios da cultura japonesa, como os Pokémons d'água. Então, por meio dessa experiência gamificada, eles conheciam um pouco mais sobre a história e os aspectos culturais tanto do Brasil como do Japão. A maioria dos desafios era revelada via *QR codes* impressos e espalhados pela sala de aula. Mas vale aqui destacar os desafios que fugiram a essa mecânica, como foi o caso do uso do quebra-cabeça impresso. Nessa atividade, os alunos tinham que montar um quebra-cabeça, o qual revelava um Pokémon do tipo água. Eles, então, deveriam conhecer o nome desse Pokémon e o elemento que representava – no caso a água.

A progressão da atividade era feita mediante um mapa-múndi digital projetado pelo professor em uma lousa. Para cada atividade realizada, o aluno progredia em um caminho que ligava o Brasil ao Japão, passando por outros continentes como África, Europa e Ásia. A atividade se encerrava quando o jogador capturava o sushi dourado na cidade de Tóquio, capital do Japão. O caminho era marcado pelo próprio professor, com auxílio de uma caneta ou pela marcação digital em um *slide* de Power Point utilizado para projetar a imagem do mapa-múndi.

Olá, fantasmas. Como vocês sabem, as criaturas do fogo estão em guerra conosco, as criaturas da água.

Eu sou a Mãe D'Água, guardiã da última Fortaleza da Água: o Triângulo das Bermudas.

Os outros guardiões das Águas foram capturados e eu preciso da ajuda de vocês para resgatá-los, já que não posso deixar essa Fortaleza.

Vocês precisarão encontrar os outros quatro guardiões: Kraken, Hidra, Monstro do lago Ness e o Domus Tecum. Depois disso, vocês precisarão descobrir onde está minha Diadema para que eu possa restaurar o equilíbrio no mundo.

Assim, como fantasmas, vocês não conseguirão fazer muita coisa, então eu deixei um sashimi de bronze para vocês poderem testar suas novas habilidades de mortos-vivos.

Agora, com seus novos corpos físicos, vocês conseguirão seguir a pista para o paradeiro do Kraken. Desvendem essa charada para libertá-lo.

Da água que se esvai, eu sou o que resta.

Estou, inclusive, no suor em sua testa.

O que sou eu?

2029:
salva São Paulo

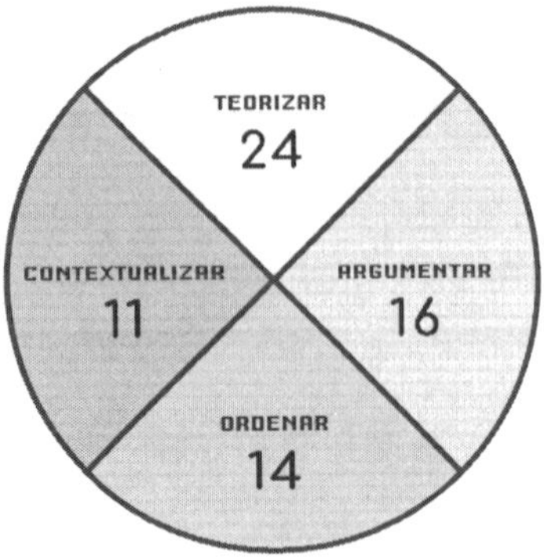

A experiência se passa no ano de 2029, quando a cidade de São Paulo se torna um local vulnerável a terríveis enchentes por conta do assoreamento de seus principais rios, como o Tietê e o Pinheiros. Eles estão altamente poluídos, gerando um odor muito forte e desagradável. A represa Billings e o Sistema Cantareira estão também poluídos – o que gera uma enorme crise de falta de água na maior cidade brasileira. Os alunos criaram um pequeno vídeo com imagens das séries *The Walking Dead* e *Blade Runner* e, claro, depoimentos fictícios de cidadãos e imagens deploráveis das condições dos principais rios que cortam a capital paulista.

Logo no início da atividade, denominada *check-in*, os participantes preenchiam um formulário do Google Forms. Em seguida, assistiam ao vídeo sobre a situação caótica em que a cidade estava no ano de 2029. Ela se mostrava à beira de uma verdadeira Guerra Civil, deflagrada pelo esgotamento das reservas de água potável. Enquanto assistiam aos vídeos, os monitores da atividade enviavam um SMS para o celular dos participantes, convocando-os para a missão. Na mensagem, eram chamados de guardiões das águas e convocados a agir rápido para evitar o colapso de uma das cidades mais importantes de todas as Américas.

No final havia um link que direcionava o participante para uma página de internet. Nela, encontrava-se uma imagem representando partes de uma máquina futurística – capaz de despoluir e diminuir o assoreamento dos rios. Os participantes, então, deveriam buscar as partes faltantes da água, cumprindo missões sobre esse tema. Por exemplo, os jogadores precisavam resolver pequenos enigmas envolvendo as mudanças de estado físico da água e responder a questões objetivas sobre a importância dela para a vida humana, das plantas e de outros animais. Em outro conjunto de desafios, os alunos eram guiados a refletir sobre as doenças causadas pela poluição dos rios e os processos que ocorrem em uma estação de tratamento da água. O grupo fez um uso muito eficaz e inteligente do Google Forms, associando as perguntas ao *QR code* impresso que estava espalhado pela sala de aula. Cada vez que o aluno acertava a questão, ele então conquistava um pedaço da grande máquina. A atividade se encerrava quando todas as partes eram encontradas. Dessa forma, ela poderia atuar na despoluição dos rios e reestabelecer a distribuição regular de água na cidade.

8 MISSÃO CRUSOÉ: A **GAMIFICAÇÃO** APLICADA EM **BIBLIOTECAS** E ESPAÇOS DE **CONVIVÊNCIA**

O estudo do meio é uma ferramenta para o ensino de geografia na Educação Básica. Trata-se de um método que possibilita ao aluno e ao professor uma melhor compreensão do espaço geográfico, cuja complexidade e dinamicidade dificilmente poderão ser aprendidas no ambiente restrito da sala de aula. Por exemplo, na minha época de escola, lembro-me muito bem das visitas que fiz à estação de tratamento de água de Lençóis Paulista, assim como ao zoológico e ao Jardim Botânico de Bauru.

As visitas eram muito esperadas pelos alunos, mas, para ser bem sincero, a expectativa estava mais relacionada a sair da rotina da sala de aula e conhecer um novo local. Durante a visita, não havia muito propósito e direcionamento por parte do professor. A saída de campo ficava totalmente desconectada com a vivência curricular, e seu uso era pouco propositivo e sem muito compromisso com um estudo de meio de fato e com a aquisição de novos conhecimentos para serem trabalhados em sala de aula após a realização da visita externa.

Embora tais atividades possuam em si valores de convivência e socioculturais significativos e relevantes, é importante mencionar que geralmente o aluno não extrai quase nada em relação à aprendizagem e aos registros de novos conteúdos, à sistematização e à produção de novos conhecimentos. A atividade vira um passeio, um momento de lazer. Também é comum que o local visitado não empolgue os alunos e a visita se torne chata e entediante. Os próprios estudantes começam a se perguntar: "Por que estamos conhecendo este lugar, o que estamos fazendo aqui?". Talvez essas perguntas não venham à mente dos alunos em visitas que envolvam zoológicos, parques de diversão e shopping center, mas a situação pode ser um pouco diferente quando falamos das de locais que demandam, por exemplo, leitura, como bibliotecas, museus e exposições.

No que diz respeito ao estudo do meio, uma visitação ou saída da sala de aula não pode ser confundida com um passeio. Segundo Lopes e Pontuschka,[1] o estudo do meio vai muito além de uma simples observação e descrição do espaço. Um bom estudo do meio tem por objetivo conectar o estudante às múltiplas dimensões do ambiente, assim como sua historicidade, as relações que determinado espaço mantém com outros e as problemáticas vividas por aquela população estudada. Nesse sentido, é necessário saber "ver", saber "dialogar" com a paisagem, detectar os problemas existentes na vida de seus moradores, estabelecer relações entre os fatos verificados e o cotidiano do aluno.

Então, a grande pergunta é: como podemos tornar visitas externas e a prática do estudo do meio mais interessantes?

1. LOPES, Claudivan S., PONTUSCHKA, Nídia N. Estudo do meio: teoria e prática. *Geografia (Londrina)*. Londrina, Universidade Estadual de Londrina: v. 18, n. 2, 2009. Disponível em: <http://www.uel.br/revistas/uel/index.php/geografia/article/view/2360>. Acesso em: 25 mar. 2020.

Nem preciso dizer que a resposta a essa pergunta, que será detalhada no restante deste capítulo é, em caixa alta, GAMIFICAÇÃO, certo? Sim, a gamificação pode ser utilizada para mudar a experiência de aprendizagem dos alunos tanto dentro como fora da sala de aula. Nesse sentido, a gamificação pode ser uma ótima estratégia para enriquecer uma aula – passeio e o estudo do meio. É uma estratégia que atribui um propósito à visita, direcionando os alunos para a intencionalidade pedagógica do professor.

Em 2016 recebi um desafio: levar duas turmas do Ensino Fundamental para conhecer o Centro Cultural de São Paulo, na capital paulista,[2] considerado um dos principais espaços culturais da cidade. Entre as diversas atividades educativas e culturais fornecidas pelo espaço, destaca-se as exposições temporárias, além de oficinas, teatros, shows de dança e muitos eventos culturais com entrada fraca.

Além dessas atividades, muitos jovens se reúnem para praticar *street dance* em grupo, principalmente na área aberta do Centro Cultural. Outros se encontram para estudar ou jogar jogos de tabuleiros nas mesas de fora da enorme biblioteca que fica no subsolo. Na verdade, o Centro Cultural possui cinco bibliotecas em seu interior, dentre elas a biblioteca Alfredo Volpi, que resguarda um catálogo sobre artes plásticas, fotografia e arquitetura; a gibiteca, que além dos gibis oferece palestras, exposições e oficinas de criação de histórias em quadrinhos; e ainda um espaço exclusivo de leitura infantojuvenil, com obras de diversos autores.

Quando recebi a missão de acompanhar as turmas e ser o professor responsável por conduzir os alunos até o Centro Cultural, decidi que aquela visita não seria como outra qualquer. Queria

2. Conheça mais sobre o CCSP em: <http://centrocultural.sp.gov.br/>. Acesso em: 25 mar. 2020.

fazer algo diferente. Os alunos, na época, participavam de uma disciplina que tinha por objetivo conhecer diferentes locais de São Paulo e entender a evolução histórico-social da cidade.

O primeiro passo que devemos dar quando desejamos criar uma atividade gamificada é ter clareza quanto ao objetivo de aprendizagem. Nesse caso, era conhecer e reconhecer a importância de espaços públicos de convivência para a valorização da autoexpressão humana, por meio da dança, das artes plásticas, da literatura e da arquitetura. Logo, eu precisava fazer os alunos circularem, visitarem os diferentes locais do Centro Cultural e realizarem registros *in loco* para, posteriormente, a partir dessa vivência, fazer uma discussão baseada na experiência.

Antes da visita, fui ao Centro Cultural conhecer as obras que estavam expostas e também a infraestrutura disponível para criar um percurso gamificado. Essa primeira visita foi registrada com muitas fotos e vídeos. Aproveitei também para fazer rascunhos da divisão dos espaços. Já sabia que existia uma biblioteca exuberante no local, mas não havia explorado todos os espaços como a gibiteca e a sala de leitura infantojuvenil.

Fuçando nas prateleiras para entender quais eram os títulos disponíveis na sala de leitura infantojuvenil, descobri o livro *Robinson Crusoé*, de Daniel Defoe. Li rapidamente a orelha do livro e relembrei a história desse personagem – um náufrago que passou 28 anos em uma remota ilha tropical próxima a Trinidad, encontrando canibais, cativos e seres estranhos antes de ser resgatado. Deixei o livro, folheei outros e segui, finalizando minha visita que demorou cerca de três horas pelo espaço.

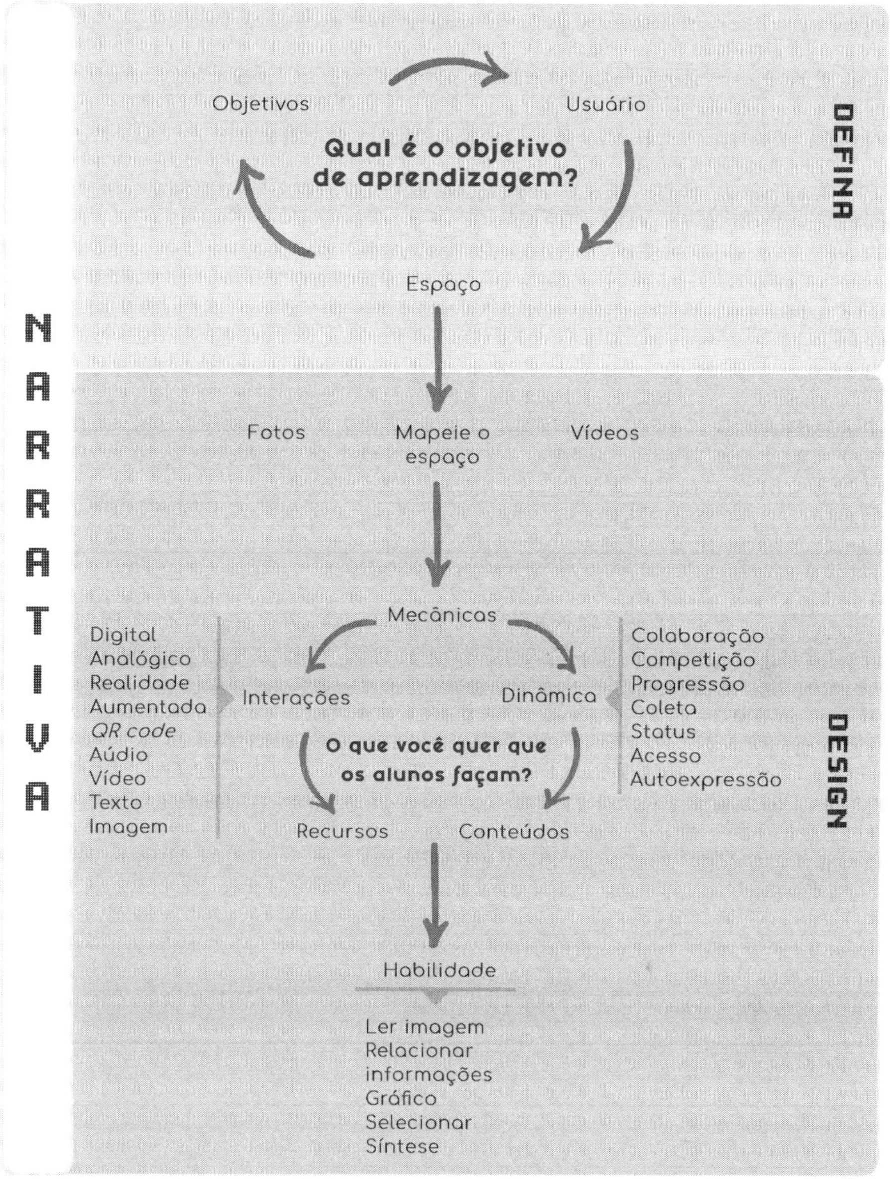

Figura 8.1: Passos para criar uma atividade gamificada pervasiva em espaços de convivência.
Fonte: O autor.

Em casa, comecei a organizar os registros. Costumo subir todas as fotos para uma pasta do Google Drive para relembrar os detalhes do local e me auxiliar na criação de mecânicas de interação na atividade gamificada. Fiz também uma pesquisa mais aprofundada do livro sobre Robinson Crusoé, descobrindo até jogos de tabuleiro e digitais baseados no personagem de Defoe.[3] No outro dia, acabei comprando uma versão digital do livro, fiz a leitura e fiquei bastante empolgado com a história. Comecei, então, a imaginar uma jornada em que os alunos deveriam "resgatar" Robinson Crusoé. Por outro lado, como justificaria o resgate de um náufrago dentro de um centro cultural? Não me parecia tão convincente assim esse mote narrativo. Na verdade, não se tratava de persuasão e fidedignidade, mas sim de coerência percebida pelos alunos participantes.

Precisava de um mote diferente do romance de Daniel Defoe para justificar e motivar os alunos a realizarem suas missões dentro do Centro Cultural. Não foi fácil resolver isso. Resolvi, então, conversar com alguns professores e entender quais eram os assuntos que estavam sendo trabalhados com os alunos. No Ensino Médio, um dos professores estava abordando as mudanças climáticas. Foi então que comecei a cogitar um cenário apocalíptico, motivado pelas mudanças climáticas e causado por chuvas torrenciais e inundações terríveis sobre o espaço urbano das principais metrópoles.

Esse foi o assunto escolhido para criar uma narrativa baseada tanto no livro de Robinson Crusoé quanto no filme *O dia depois de amanhã*.[4] Essa obra relata os efeitos catastróficos do aquec

3. Conheça o jogo de tabuleiro Robinson Crusoé: Aventuras na ilha Amaldiçoada (2012). Disponível em: <https://www.ludopedia.com.br/jogo/robinson-crusoe-adventure-on-the-cursed-island>. Acesso em: 25 mar. 2020. Além disso, conheça o jogo digital Adventures of Robinson Crusoe. Disponível em: <https://store.steampowered.com/app/334470/Adventures_of_Robinson_Crusoe/>. Acesso em 25 Mar 2020.

4. Veja o trailer do filme. Disponível em: <http://www.adorocinema.com/filmes/filme-45361/>. Acesso em: : 25 mar. 2020.

mento e do esfriamento global. Assim, a figura do náufrago de Daniel Defoe foi transformado em um cientista famoso que havia sido sequestrado e estava preso em um cativeiro dentro do Centro Cultural. Dessa forma, os alunos não teriam apenas que resgatar Crusoé, mas também coletar partes de um barco para escapar antes que o local fosse inundado. As turmas foram divididas em duas equipes que deveriam colaborar para resolver as missões.

Figura 8.2: Tela inicial com apresentação da Missão Crusoé.
Fonte: O autor.

ENREDO DA AVENTURA: *Robinson Crusoé está desaparecido. Foi visto pela última vez na conferência do clima, em Paris. Naquela ocasião, Robinson apresentava um extenso relatório sobre o aquecimento global, fruto de uma expedição que realizou na Antártida anos atrás. O modelo de Robinson apontava que mudanças climáticas ocorridas na primeira Idade do gelo poderiam acontecer de novo em um curto período de tempo, muito mais cedo do que outros cientistas acreditavam. A apresentação deixou irritado os presidentes do G20, os quais foram apontados como os responsáveis pela destruição* *da vida humana nos próximos anos. Mais de 1 bilhão de vezes a palestra de Robinson foi vista no YouTube. A comoção era tanta que centenas de protestos foram organizados no mundo. Após quinze dias, a página de Facebook de Robinson saiu do ar, seu perfil no Twitter também. Ninguém mais tem informações sobre o paradeiro dele.*

Duas semanas se passaram e, em todo o mundo, o clima violento provocou uma destruição em massa, incluindo uma enorme tempestade de neve em Nova Deli e uma tempestade de granizo do tamanho de bolas de golfe em Tóquio. O presidente Barak Obama autorizou a FAA a suspender todo o tráfego aéreo devido à turbulência severa. Na Estação Espacial Internacional (ISS), três astronautas assistiram a um sistema enorme de tempestades no hemisfério norte, atrasando seu retorno a Terra. Um ciclone de tamanho inimaginável atingiu o litoral norte do estado de São Paulo. Ondas gigantes dizimaram populações costeiras e colocaram a cidade de Santos embaixo d'água.

Chove a mais de uma semana por aqui. A cidade virou um arquipélago. Milhares de corpos estão à deriva. Vocês são sobreviventes do futuro. Este centro é um local de refúgio, fora dele não há nada mais do que água salobra que já se misturou com a água do mar. O local é seguro, mas não por muito tempo. A cada dia que passa o nível da água sobe, e vocês precisam encontrar maneiras de sobreviver aqui.

Há dois grupos de sobreviventes circulantes pelo local. Vocês estão em regiões diferentes, mas podem se comunicar via smartphone sun-fi, que utiliza e transmite dados via pacotes de elétrons livres captados em fibras de cloroplásticos, uma tecnologia que surge na Terra no ano de 2046.

A internet neste período é mais parecida com a fotossíntese do que com as ondas eletromagnéticas de wifi. O contato com os grupos de sobreviventes é feito via aplicativo similar ao Whatsapp. Utilize esse canal para a comunicação e a construção de um plano de fuga do Centro Cultural. Na verdade, esse plano só poderá ser feito por meio da construção de um barco cujas peças estão espalhadas pelo espaço e devem ser coletadas o mais rápido possível. Essa construção será feita mediante o avanço das equipes na resolução de enigmas, capturas e registros solicitados. Ajam rápido, tudo indica que este local será engolido pela água nas próximas duas horas. Boa sorte!

Preste atenção neste símbolo [era exibida uma imagem de três bonecos em flat design com as mãos dadas]. A aparição dessa imagem significa que a colaboração é fundamental para o avanço das equipes. Descubra como essa colaboração pode ser feita.

No local, as equipes receberam um *tablet* com uma página de internet e mais informações sobre o objetivo da aventura. Foi-lhes explicado que as equipes teriam duas horas para percorrer o espaço e realizar todas as missões para resgatar o cientista Robinson Crusoé. Em nenhum momento foi informado que se tratava de uma competição entre equipes e que ganhava quem terminasse as missões primeiro. É importante destacar que as informações visualizadas pelas equipes eram praticamente iguais, mudando apenas o conteúdo da missão 6, a fim de mobilizar a troca de informações entre as equipes.

Na tela, sempre estava visível o status do barco – algo como se fosse uma barra de progresso. Os comandos das missões estavam associados à exploração e ao registro de fotos, vídeos e busca de obras e informações específicas nos locais.

Figura 8.3: Exemplo de missão envolvendo a gravação de um vídeo em uma parte específica do espaço explorado.
Fonte: O autor.

DESAFIO	DESCRIÇÃO	MECÂNICA/ INTERAÇÃO	PRODUTO/ REGISTRO
MISSÃO 1 Sobrevivência	Percorra o espaço e registre com uma foto um objeto considerado importante para a sobrevivência do grupo. Após o registro, avance.	Exploração e síntese.	Fotografia.
MISSÃO 2 Busca de obra de arte no saguão principal	Encontre esta imagem no espaço (a imagem era exibida abaixo do comando). Ao lado se encontra um enorme painel com nomes de artistas selecionados para uma mostra. Um dos últimos nomes dos artistas listados é a solução para este enigma.	Exploração.	Não se aplica.
MISSÃO 3 Entrevista	Aborde ao menos cinco pessoas que estejam circulando pelo Centro Cultural e pergunte a cada uma delas: qual a sua opinião sobre as mudanças climáticas? Como você acredita que elas podem impactar o Brasil e mais especificamente a cidade de São Paulo? Anote as respostas e registre com fotos ou vídeos. Após o registro, prossiga.	Coleta de dados.	Opinião da pessoa entrevistada. Vídeos e fotografias.
MISSÃO 4 Autor	Primeiro nome do autor da obra original de Robinson Crusoé.	Pesquisa.	Não se aplica.

MISSÃO 5 Gibiteca	Encontre esta sala mostrada na imagem abaixo (exibição de uma imagem da gibiteca do Centro Cultural). Selecione uma HQ da coleção Super-heróis Premium: X-Men, Grandes Heróis Marvel ou Superman. Analise o material e responda às seguintes perguntas: quem são os super-heróis que poderiam nos salvar das mudanças climáticas? Anote a resposta e prossiga.	Exploração, pesquisa e opinião do grupo.	Resposta por escrito.
MISSÃO 6 Bibliotecas	Equipe Azul: Esta obra pertence a um pintor que originou o nome de uma das subdivisões desta enorme biblioteca. O último nome deste artista é a solução de um enigma desta aventura. (Abaixo era exibida uma imagem de uma obra de arte de Alfredo Volpi.) Equipe Vermelha: Esta imagem se refere a uma linguagem que originou o nome de uma das subdivisões desta enorme biblioteca. O primeiro nome do inventor desta linguagem é a solução de um enigma desta aventura.	Pesquisa e troca de informações entre as equipes (colaboração).	Não se aplica.
MISSÃO 7 Área externa	Encontre esta paisagem no espaço (exibia-se uma imagem do piso superior e externo do Centro Cultural com vista para os prédios da avenida Vergueiro). Utilize como um fundo para a gravação de pequeno vídeo sobre os fatores causadores das mudanças climáticas.	Exploração, pesquisa, opinião do grupo e síntese.	Vídeo.
MISSÃO 8 Busca pelo livro	Procure a sala de leitura IJ (infantojuvenil). Busque o livro FZ 89rb 17.ed. Procure a página mostrada abaixo (exibia-se uma imagem do livro *Robinson Crusoé* com um mapa-múndi e rotas de viagens do personagem. A imagem foi modificada cobrindo os quatro números). Os números ocultados na imagem eram a solução para este enigma.	Exploração.	Não se aplica.

Quadro 8.1
Fonte: O autor.

É importante detalhar mais a missão 6. Como podemos notar, nessa missão, a imagem dos bonecos de mão dadas era exibida, sinalizando que os times precisavam colaborar. Nesse caso, imagens diferentes eram exibidas para as equipes. Para uma equipe a solução era "Volpi" e para a outra era "Louis", de Louis Braille, por exemplo. No entanto, quando as equipes digitavam esse nome a tela não avançava, sinalizando que a reposta não estava correta. Acontece que nessa parte específica as respostas estavam trocadas entre as equipes. Um exemplo: na equipe azul a resposta correta era Louis, muito embora fizesse mais sentido a resposta Volpi. Enquanto na equipe vermelha a reposta correta era Volpi, muito embora a pergunta demandasse a resposta Louis. Essa foi uma forma que encontrei para que as equipes interagissem, trocando informações e desenvolvendo meios para colaborarem.

Honestamente, não sabia qual seria o efeito disso. Temia que a troca de senhas gerasse mais frustração do que colaboração. No entanto, observando as equipes, percebi que a mecânica funcionava, já que eles sabiam que o ícone dos bonecos com as mãos dadas demandava colaboração. Outro ponto é que, quando eles digitavam a palavra no campo e ela estava incorreta, aparecia uma mensagem de feedback reforçando que o segredo estava na troca de informações e na colaboração com a outra equipe.

AVALIAÇÃO DA **atividade pelos estudantes**

Após a realização da atividade, os alunos preencheram um formulário no Google Forms, utilizando seus próprios celulares. As perguntas feitas buscavam avaliar: nível de imersão provocado pelo enredo e sua forma de apresentação; preferência das interações e mecânicas inseridas à atividade gamificada e a percepção dos estudantes sobre a importância do estilo de atividade e sua eficácia para explorar espaços de convivência.

Ao todo, 77 alunos participaram das atividades e 72 responderam ao questionário. Para respondê-lo, eles deveriam escolher um número, em uma escala de 0 a 6 pontos, que melhor representasse a opinião sobre a atividade gamificada. Para todas as afirmativas, o número 0 representava que o aluno discordava totalmente, e o número 6 significava que o aluno concordava totalmente com a sentença apresentada. Em cada questão, os alunos ainda tinham a possibilidade de responder que não entenderam ou não tinham uma opinião sobre o tema. Para avaliar a qualidade de narrativa e nível de imersão, eles tiveram que opinar sobre as seguintes sentenças: 1) A contextualização, contada a partir de uma história fictícia antes das missões, foi relevante para eu me sentir mais motivado a participar das missões; 2) Quando li a história imaginei o Centro Cultural cercado por água; 3) A história contada foi clara quanto aos objetivos e às regras da experiência; e 4) A história estava extensa demais, com muitos detalhes, e comprometeu o meu processo de imersão.

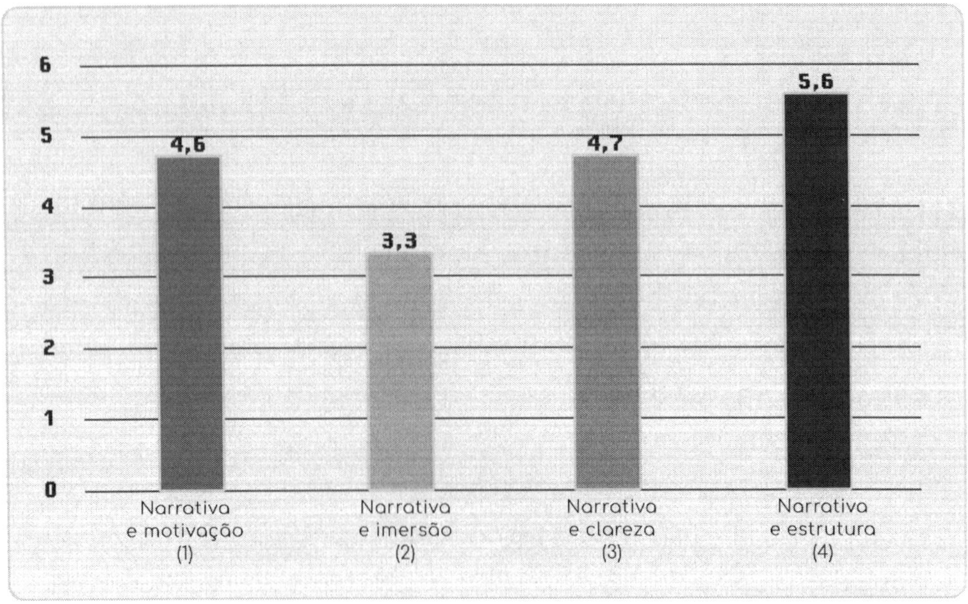

Figura 8.4: Médias das notas (0 representava que o aluno discordava totalmente e 6 significava que o aluno concordava totalmente com a sentença) obtidas no questionário logo após a atividade gamificada com 72 alunos.
Fonte: O autor.

De forma geral, os resultados apontaram que a apresentação de uma narrativa antes da atividade gamificada fez diferença, impactou a motivação e o desejo do aluno se envolver e participar das atividades propostas. No entanto, é preciso ter cuidado com a estrutura da narrativa, bem como no formato de sua apresentação. Repare, a maioria dos alunos concordou que a narrativa estava extensa e com muitos detalhes e que isso havia comprometido sua imersão. Particularmente, acredito que quanto mais detalhes você oferece, mais convincente fica a trama, no entanto o calcanhar de Aquiles fica por conta da maneira como você apresenta. Textos longos são cansativos e, diante de uma situação emergencial e que envolve, por exemplo, uma competição entre grupos de alunos, o texto da narrativa se transforma em um empecilho, aumenta a ansiedade e pode exercer um efeito contrário ao seu propósito. Eu mesmo percebi os alunos passando as telas, ignorando completamente a narrativa – algo que acontece muito em outros jogos e exibição de tutoriais. Se nós mesmos fazemos isso frequentemente, imagina os alunos!

A alta concordância quanto à resposta da pergunta 4 nos ajuda a explicar também a média de notas da pergunta 2 sobre o poder de imersão da narrativa. É bem simples de entender: como a narrativa em texto estava extensa demais, os alunos a ignoraram e, por conseguinte, isso impactou o processo de imersão percebida.

As lições aprendidas aqui são: não utilize narrativas muito extensas e busque formas diferentes de apresentá-las. Por exemplo, eu poderia ter feito um vídeo e apresentá-lo antes para os alunos, ainda em sala de aula. Poderia também contar a história utilizando um tom dramático, mas confesso que não sou tão bom nisso. Poderia ter preparado também uma história em quadrinhos, um áudio ou qualquer outra mídia que fosse além do texto. Não precisaria substituí-lo por completo, mas algo que complementasse a leitura. Mas é bom notar que a criação desse conteúdo audiovisual, a organização e o uso depende de tempo e recurso também, por exemplo para a criação das ilustrações, a gravação de cenas e edição. No cinema, todos esses detalhes encarecem significativamente a produção, não é diferente na gamificação. A dica é: use a narrativa e os recursos contextualizadores com moderação. Histórias mais enxutas e orientadas para o seu propósito podem ser mais bem-sucedidas, principalmente para aqueles que estão iniciando no universo da gamificação.

9 ATAQUE CYBERBIOLÓGICO: **GAMIFICAÇÃO** E REALIDADE AUMENTADA APLICADAS EM **MUSEUS**

Em maio de 2019 fui convidado para ministrar um curso de inverno no Instituto Singularidades, em São Paulo, e o tema não poderia ser outro: gamificação na educação. Montei várias experiências, dentre elas uma que deu origem ao MOVAR.[1] O objetivo do curso era mostrar para os professores participantes exemplos de boas experiências de aprendizagem baseadas nos elementos dos jogos. Sempre acreditei que o melhor jeito de provar isso é a partir da vivência. Então, criei uma trilha de aprendizagem associada a uma narrativa em um contexto gamificado dentro do Museu de Microbiologia do Instituto Butantan.[2] O MOVAR foi levado adiante sob as mesmas justificativas da Missão Crusoé. Mas é claro que os dois têm diferenças e vale, portanto, relatá-las em capítulos separados.

A primeira diferença foi a forma de iniciar o processo de imersão e gamificação. Na Missão Crusoé, os alunos, inicialmente, liam um texto. No ataque cyberbiológico, enviei a eles um PDF no for-

1. Conheça a iniciativa que cria expedições pedagógicas pela cidade de São Paulo: <www.movar.com.br>. Acesso em: 24 abr. 2020.

2. Veja um vídeo da atividade gamificada. Disponível em: <https://youtu.be/YGvIKObuAhI>. Acesso em: 24 abr. 2020.

mato de um jornal com notícias verdadeiras e fictícias. A manchete estampava a cidade de Shenzhen, uma das mais promissoras da China continental, que estava sob um forte ataque cyberbiológico. Um novo vírus transmitido por *biochip* começava a preocupar o mundo. Por trás desse ataque, estava a guerra comercial entre China e Estados Unidos e, no foco da discussão, a empresa Huawei e o mercado de tecnologia e internet 5G. Esse vírus seria transmitido apenas entre pessoas que tivessem implantado um *chip* subcutâneo e tornaria as pessoas escravas das telas.

Foi assim que nasceu o *H-apat*, um vírus que ataca os neurônios, causando uma espécie de apatia contagiosa, deprimindo milhares de pessoas. Para piorar o cenário, os infectados desenvolviam fobia social, refugiando-se nas telas para continuar sobrevivendo e interagindo com outras pessoas on-line. Dessa forma, a única interação que o infectado mantinha com o mundo era por meio da internet. Os cidadãos infectados passaram a viver sob a tutela da rede, pedindo alimentos por aplicativos e tendo o mínimo contato social possível.

Veja, esse vírus não existe, nem qualquer outra informação do parágrafo anterior é verdadeira. Trata-se de um mote narrativo fictício, mas que resguarda em sua estrutura uma série de semelhanças com a vida contemporânea. A ideia do envio do jornal em PDF foi antecipar o processo de imersão e já começar o início da gamificação ali, com os participantes curiosos e motivados para entender os efeitos desse suposto vírus. O jornal foi confeccionado no Word e exportado em PDF.

FOLHA ATUAL

VÍRUS TRANSMITIDO POR BIOCHIP PREOCUPA O MUNDO

Operação Hefesto

China e EUA em Guerra comercial

NESTA EDIÇÃO

NOVA INDUSTRIA NOVO VÍRUS NOVA EDUCAÇÃO

FOLHA ATUAL

ATAQUE CYBERBIOLÓGICO

Vírus torna as pessoas escravas de telas

O lado B da tecnologia

BLACK MIRROR

Vírus pode causar apatia contagiosa

NEUROCIÊNCIA

Cérebro motivado

Figura 9.1: Páginas em PDF do jornal *Folha Atual*, enviado para os alunos antes da atividade gamificada.
Fonte: O autor.

O objetivo desse processo de gamificação era construir uma nanovacina, capaz de conter o novo vírus. Os participantes deveriam caçar informações específicas espalhadas no museu e conquistar partes da nanopartícula até completá-la e, enfim, gerar a solução contra a apatia contagiosa.

A exemplo de outros projetos, criei também uma narrativa digital. Assim, os participantes recebiam um link no início da jornada e seguiam sozinhos para o museu, explorando suas partes e coletando informações. O professor permanecia próximo das duplas e dos trios para tirar dúvidas e mediar o progresso na jornada.

Assim como na Missão Crusoé, tratei de visitar antes o local e fotografar cada detalhe. O Museu de Microbiologia conta também com *QR codes* que encaminham o participante à audiodescrição das estações de aprendizagem. Além de modelos tridimensionais de bactérias e vírus, o espaço possui uma série de painéis resumindo diversas etapas da história da microbiologia, da função do microscópio e da evolução do conhecimento sobre as vacinas e o soro, a partir das pesquisas de Vital Brasil e da inauguração do Instituto Butantan.

Ao contrário do Missão Crusoé, criei interações focadas no registro e na confecção de registros audiovisuais pelos alunos. A aventura microbiológica sobre um suposto ataque cyberbiológico ficou mais restrita à observação do museu – uma espécie de caçada de informações específicas e progressão por meio de estações dentro do espaço. Outra diferença marcante foi o uso da realidade aumentada nesse projeto. Algo que vamos discutir na próxima seção.

REALIDADE **aumentada**

Se você nunca ouviu falar da tecnologia da realidade aumentada, basta lembrar do jogo Pokémon Go que virou febre em 2016. Ele utiliza a realidade aumentada para sobrepor no ambiente real camadas de informações virtuais que permanecem misturadas à realidade. Parece algo muito inovador, mas na verdade não é. Em maio de 1977, o primeiro filme da série *Star Wars* arrebatou plateias do mundo inteiro. A produção chamou a atenção pela qualidade técnica e pelos efeitos que possibilitavam personagens interagir com outras realidades. Em uma cena clássica, R2D2 e Chewbacca aparecem jogando xadrez com peças de realidade virtual.

Na década de 1980, Arnold Schwarzenegger interpretou o personagem que revolucionou o conceito de 3D e realidade aumentada. Quem não se lembra da visão do Exterminador do Futuro, a qual mostrava em tempo real informações do ambiente ao seu redor? A realidade aumentada é um conceito diferente da realidade virtual, uma vez que não há uma substituição completa daquilo que vemos por uma simulação, como ocorre na realidade virtual. A realidade aumentada utiliza o mundo real para adicionar novas camadas de informação tal como nós conhecemos. Om Malik, em um artigo na revista *The New Yorker*, compara a realidade aumentada à metáfora de uma história infantil. "Realidade aumentada é o Pedro e o Lobo do mundo pós-internet".[3] Há tempos essa tendência é prometida, mas nunca, de fato, foi desenvolvida de maneira tão bem-sucedida e satisfatória até o lançamento de Pokémon Go. Não é para menos que diversos críticos, a despeito das observações negativas, apontam Pokémon Go como um veículo de mudança de paradigma, o que torna o jogo o que o Iphone foi em 2007 no que diz respeito à interação homem-máquina. O jogo é apenas o início de um novo universo de possibilidades para ressignificar experiências psicológicas humanas e de interação com o mundo real.

Processos de gamificação aplicados à educação e à aprendizagem podem se beneficiar bastante da realidade aumentada, visto que é possível inserir camadas digitais de informações, como vídeos, imagens e textos à realidade. Foi exatamente isso que fiz na gamificação do Museu de Microbiologia. Em uma primeira interação, os participantes deveriam utilizar um aplicativo de realidade aumentada e mirar a câmera de seus celulares em direção a um boneco presente no museu. Fazendo isso, ele visualizava uma imagem com um texto.

3. MALIK, Om. Pokémon Go will make you crave augmented reality. *The New Yorker*. New York, 12 jul. 2016. Disponível em: <https://www.newyorker.com/tech/annals-of-technology/pokemon-go-will-make-you-crave-augmented-reality>. Acesso em: 24 abr. 2020.

Figura 9.2: Professora apontando o celular para o boneco e visualizando por meio da realidade aumentada instruções sobre como deveria avançar pela trilha de aprendizagem.
Fonte: O autor.

Na verdade, tratava-se de uma pista que o encaminhava para a próxima estação. Em outra interação, o participante devia mirar seu celular para um modelo tridimensional de um vírus, disponível no espaço. Por meio da tecnologia de realidade aumentada, o participante conseguia assistir a um vídeo que mostrava a diferença de tamanho de elementos do universo, dentre eles de uma galáxia, do planeta Terra, de uma formiga, de uma célula e de um vírus.[4]

COMO CRIAR SUA PRÓPRIA **realidade aumentada?**

A realidade aumentada é uma tecnologia que dispõe de várias formas para ser utilizada na educação. Hoje, há aplicativos muito

4. O vídeo foi capturado da aplicação The Scale of the Universe. Disponível em: <https://scaleofuniverse.com/>. Acesso em: 24 abr. 2020.

interessantes para uso na sala de aula e em processos gamificados, na medida em que o professor tem o domínio do tipo de estímulo que será revelado quando a câmera do celular escaneia determinada imagem do ambiente. Gosto bastante de utilizar o Hp Reveal para construir experiências imersivas e investigativas com os professores. Também utilizo o Layar,[5] que permite a criação mais rápida e intuitiva, no entanto o serviço limita o número de áreas criadas gratuitamente (apenas duas). Nesses aplicativos é possível criar aplicações em realidade aumentada e mesclar informações virtuais ao mundo real. É possível, por exemplo, utilizar uma foto ou qualquer outra imagem que desejar para associar a uma obra de arte real, um quadro de avisos ou ao rótulo de um produto. Assim, pode-se criar trilhas investigativas, verdadeiras caçadas ao tesouro, mais específicas para os conteúdos e as habilidades pedagógicas.

Outro elemento que utilizei nessa atividade gamificada foi o mapa. Fiz uma busca pela internet e encontrei um trabalho de conclusão de curso que me ajudou bastante no mapeamento do local.[6] Como o museu tinha vários painéis e mesas numeradas, achei mais interessante disponibilizar uma planta baixa para o participante explorar com mais eficiência o espaço.

Foi desenhada uma aventura dividida em dois caminhos com quatro missões cada. Dessa forma, cada dupla de participante deveria realizar oito missões diferentes. Todas as missões envolviam uma observação criteriosa do espaço e a busca de informações nos painéis e em sites para responder perguntas.

5. Disponível em: <https://www.layar.com/>. Acesso em: 24 abr. 2020.

6. GRUZMAN, Carla. *Educação, ciência e saúde no museu*: uma análise enunciativo-discursiva da exposição do Museu de Microbiologia do Instituto Butantan. Disponível em: <http://docplayer.com.br/48024517-Universidade-de-sao-paulo-faculdade-de-educacao.html>. Acesso em: 24 abr. 2020.

Outro elemento de jogo que utilizei nessa gamificação foi a progressão. Cada vez que o participante acertava a resposta e era bem-sucedido em uma das missões, faturava uma parte da nanopartícula. A mecânica, portanto, era idêntica ao da Missão Crusoé, porém os significados dos comunicados eram bem diferentes. Enquanto na Missão Crusoé a progressão estava associada à construção de um barco, na gamificação do ataque cyberbiológico a progressão se dava com a conquista de partes de um nanopartícula – no caso, o meio pelo qual o *H-pat* poderia ser combatido.

Figura 9.3: Nas imagens A, B e C, visualizamos as instruções iniciais da atividade gamificada. Na imagem D, observamos um modelo de missão com uma caixa de texto em que o participante digitava a resposta e a submetia clicando no botão "submeter". Finalmente, nas imagens E e F, observamos instruções de como o participante deveria utilizar o aplicativo HP Reveal para buscar informações no museu. Ainda na imagem F, podemos observar a nanopartícula parcialmente preenchida, indicando que o participante já havia resolvido duas missões.
Fonte: O autor.

Como podemos ver, a despeito das diferenças, ambas as atividades gamificadas relatadas neste e no capítulo anterior têm semelhanças. Por exemplo, nas duas podemos constatar a presença de um enredo. A intencionalidade pedagógica sempre é levada em consideração primeiro. Em seguida, deve-se pensar nos objetivos específicos e, por conseguinte, nas interações e no desenho da jornada, resumido nos níveis e nos desafios disponíveis em sua atividade gamificada. Pensar em níveis suscita também analisar as dinâmicas que desejamos implementar na gamificação. As dinâmicas de jogos representam o mais alto nível de abstração de elementos do jogo em forma de interações entre o jogador e as mecânicas ou, ainda, entre as regras da atividade gamificada. Como já foi discutido no capítulo anterior, há várias dinâmicas que podemos implementar em uma atividade gamificada. No caso, a mais saliente do ataque cyberbiológico foi a de progressão, representada pelo octógono. Na Missão Crusoé, a mesma lógica foi utilizada, no entanto a imagem foi diferente, foi a de um barco, mais coerente com o enredo.

Quanto às interações, devemos pensar nos diferentes tipos de recursos que podemos utilizar para criá-las, como realidade aumentada, *QR code*, textos, imagens, vídeo, dentre outros. E, no que tange aos níveis e desafios, devemos avaliar que tipo de conteúdo específico desejamos trabalhar – algo já discutido no capítulo anterior.

Se na Missão Crusoé eu tinha como objetivo motivar os alunos a conhecerem o Centro Cultural São Paulo, no ataque cyberbiológico desejava ir além. Mais do que fazer registros, tinha como meta que eles extraíssem informações disponibilizadas no museu, entendendo a história da microbiologia, os trabalhos de cientistas como Louis Pasteur, a importância da tecnologia como a do microscópio óptico e eletrônico, bem como os diferentes agentes etiológicos, do *Trypanosoma cruzi* ao Príon – causador do mal da vaca louca. Enquanto o Missão Crusoé se pautou mais em oferecer uma experiência de exploração e criação de registros por parte dos alunos, o ataque cyberbiológico foi mais específico, pautado em conteúdo científico e em uma exploração mais analítica, de captura da informação disponível para resolução das questões apresentadas. São duas experiências diferentes que foram modificadas por completo com a gamificação e uso dos elementos dos jogos.

10 PICOS E VALES: **GAMIFICANDO** UMA AULA **STEAM**

No início de 2015, minha coordenadora do ensino de ciências e laboratório de biologia, Cristiana Mattos Assumpção, convidou-me para participar do processo de transformação curricular do Colégio Bandeirantes. Tive a honra e a grata oportunidade de coliderar e mediar o processo de ideação e prototipagem do primeiro projeto curricular STEAM do Brasil. Para isso, utilizei a abordagem do *design thinking* comentada no capítulo 7. Cerca de 30 professores de biologia, física, química, artes e matemática foram organizados em grupos e iniciaram a modificação do currículo. O objetivo era transformar parte do currículo em modelos de projetos interdisciplinares liderados pelos próprios alunos. Para tanto, foi proposto partir da integração de Ciências, Tecnologias, Engenharias, Artes e Matemática (STEAM) e modificar a maneira como os alunos aprendiam.

No STEAM, os alunos são motivados a criar, aproximando-se da abordagem do *design* e de uma aprendizagem baseada em projetos. É diferente da que se relaciona ao ensino de ciências, que busca entender os fenômenos, descobrir como as coisas são e justificar o porquê de serem dessa forma. O STEAM tem como objetivo envolver os alunos em pensamentos e processos mais complexos por meio da construção de artefatos físicos a partir dos conceitos desenvolvidos no currículo. Nesse sentido, é uma abordagem mais mão na massa, na qual os alunos começam projetando e construindo um objeto, muitas vezes nunca antes visto. Além de construir, precisam explicar como o objeto funciona e a qual contexto pertence.

Nessa abordagem, a letra que causa mais estranheza, sem dúvida, é o "A" das artes, que foi acrescentada ao acrônimo STEM – outra abordagem curricular interdisciplinar e baseada em projetos. A chegada do "A" tem por objetivo potencializar as percepções do mundo, aplicando o conhecimento não apenas para entender, descrever e justificá-lo de forma objetiva, mas também para contemplar, gerar novas experiências sociais, culturais e históricas a partir da conexão das explicações subjetivas apresentada pelas artes e as explicações objetivas das ciências.

Em 2016, inauguramos o currículo STEAM para mais de quinhentos alunos do primeiro ano do Ensino Médio e, com isso, cresceu o interesse de outras escolas, professores, consultores e gestores pela abordagem STEAM. Em 2018, fui convidado a ministrar um workshop de quatro horas sobre o assunto para alunos do curso de pós-graduação em Metodologias Ativas para uma Educação Inovadora, do Instituto Singularidades, coordenado pela professora Lilian Bacich. Como estava responsável pela disciplina de aprendizagem baseada em jogos e gamificação no mesmo curso, resolvi dar um tira-gosto no workshop, gamificando a aula STEAM para quase cinquenta professores oriundos das mais diversas instituições de ensino e empresas da área de educação.

Este capítulo tem como objetivo relatar de forma bem breve como foi essa atividade e destacar os elementos de jogos utilizados para gamificá-la e conduzi-la. Para além do uso da gamificação em uma aula mão na massa, este capítulo também visa destacar como a organização das atividades foi modificada ao longo das inúmeras aplicações feitas nesse mesmo workshop. Como falei na primeira parte deste livro, gamificação é um processo que, como qualquer outro, deve ser lapidado. Não descrevo minuciosamente cada mudança feita, pois isso tornaria a leitura maçante, mas é importante ter em mente que o percurso apresentado é resultado de uma série de testes e aplicações prévias do mesmo workshop para um público variado e submetido a diferentes cenários de infraestrutura.

No workshop gamificado chamado de Picos e Vales, os alunos deveriam construir um protótipo para transportar bolinhas de um lado para o outro. No caso, as bolinhas representavam frutas e as motivações para a construção do protótipo partiam de um problema real vivenciado por comunidades do Nepal.1 Todo percurso foi dividido em missões. Em uma primeira versão do workshop, na qual os alunos tinham acesso a computadores e internet, utilizei um painel interativo em HTML5 para *web*, para limitar o avanço dos alunos nas atividades. A exemplo de outros projetos relatados em capítulos anteriores, o grupo tinha que digitar uma senha para avançar e tomar conhecimento sobre as próximas ações, reproduzindo algo como ocorre em Super Mário Bros., Donkey Kong ou Candy Crush, jogos em que o jogador é guiado por um mapa, um caminho ou uma jornada que deve ser trilhada.

1. Este desafio foi baseado em uma proposta do Practical Action: Aerial Ropeways of Nepal. Disponível em: <https://practicalaction.org/fundraise/group-church-or-club/church-services/gravity-good-ropeway/>. Acesso em: 31 mar. 2020.

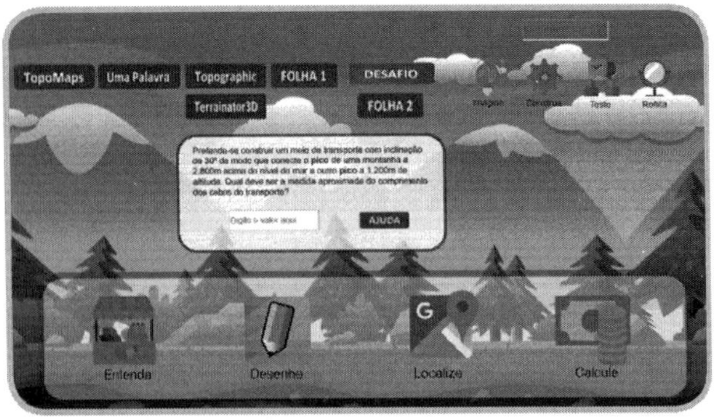

Figura 10.1: Exemplo de painel interativo com apresentação progressiva das missões para os participantes.
Fonte: O autor.

No entanto, fui convidado para ministrar essa mesma oficina em locais onde os participantes não tinham acesso à internet. Nesse contexto, não utilizei o painel interativo e reproduzi a estética de senhas associadas à progressão de forma analógica. Guardei as senhas escritas em papel dentro de um envelope e desenhei a progressão das missões na lousa. Quando os alunos adivinhavam a palavra, abria o envelope e revelava a palavra e completava na lousa o percurso, adicionando um traço e mais um retângulo com o nome da missão – semelhante a uma linha do tempo. O processo ficou menos interativo e os grupos caminhavam juntos, mas o andamento da atividade ficou mais rápido e senti maior controle no ritmo das etapas.

Independentemente do formato, seja analógico seja digital, as primeiras missões tinham por objetivo contextualizar o desafio de construção, motivar os participantes (majoritariamente formada por professores) a pensar sobre um problema real e imaginar diferentes soluções. Essas missões foram utilizadas também para colocar todos os grupos na mesma página de preparação para o desafio mão na massa. Outro elemento de jogo empregado foi a *sidequest*. São missões secundárias que podem ser revertidas em alguma recompensa para o jogador.

Esse tipo de elemento é bastante explorado em jogos de mundo aberto e aumentam a vida útil do jogo. No nosso caso, as *sidequests* tiveram o objetivo de elevar a pressão sobre o grupo para que realizasse uma divisão de tarefas. Além disso, ao executar determinada *sidequest* o grupo ganhava pontos, o que impactava sua pontuação final.

Organização **dos alunos**

Todos os alunos que chegavam à sala já ouviam uma música. O primeiro desafio proposto para a turma foi justamente adivinhar o país de origem da canção tocada. De imediato, os alunos já ficavam sabendo que todo o trabalho seria focado no Nepal. Em seguida, foram divididos em times de, no máximo, cinco pessoas. Cada integrante recebia uma função: líder, mentor do tempo, pesquisador, documentarista e apaziguador.

FUNÇÕES DE CADA **INTEGRANTE**

LÍDER: responsável pelo gerenciamento geral do grupo e tomador de decisão principal.

MENTOR DO TEMPO: responsável pela gestão do tempo e do ritmo das atividades dos integrantes do grupo.

PESQUISADOR: responsável pela busca e coleta de informações para a realização das atividades.

DOCUMENTARISTA: responsável pelo preenchimento do relatório e pela organização de notas e informações escritas.

APAZIGUADOR: responsável pela manutenção de um clima positivo e produtivo no grupo, mediando e propondo soluções para possíveis conflitos entre os integrantes.

O meu primeiro grande objetivo de aprendizagem foi provocar uma reflexão nos participantes sobre como a superfície terrestre pode impactar a organização da sociedade e de suas formas de locomoção. Para isso, utilizei diversas ferramentas e tecnologias digitais a fim de mobilizar o conhecimento prévio dos alunos sobre o país em análise e suas características geográficas. O Nepal é conhecido por seu relevo acidentado (montanhoso), especialmente por abrigar em seu território o ponto mais elevado do planeta, o Monte Everest. Com base no DOK, criei missões iniciais focadas em quatro ações: identificar, localizar, criar e comparar, todas mediadas por tecnologias digitais distintas. A primeira missão envolvia localizar a região com auxílio do Google Earth. Na seguinte, os alunos tiveram como meta analisar com mais detalhes o terreno do Nepal. Para isso, utilizamos duas ferramentas digitais: Topographic e Terreinator 3D. Na primeira, os participantes podiam observar a altura, em metros, das montanhas e de suas variações a partir de um mapa com uma espécie de curva de níveis atribuído por cores e legenda específica. Já na segunda, podiam selecionar uma parte do terreno e solicitar para que o *software* fizesse o perfil topográfico da área em três dimensões. Nas duas últimas missões, os participantes tiveram que comparar partes do terreno do Brasil com as do Nepal.

OBJETIVO DE APRENDIZAGEM	TECNOLOGIA MEDIADORA	DOK
Localize os arredores do Monte Everest.	Google Earth	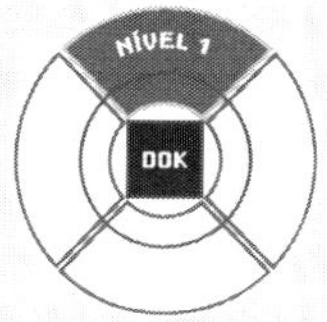
Identifique a altitude, em metros, de regiões próximo ao Himalaia.	Topographic	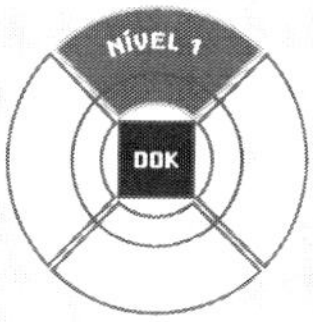
Crie um modelo tridimensional de um terreno selecionado na região do Himalaia.	Terrainator 3D	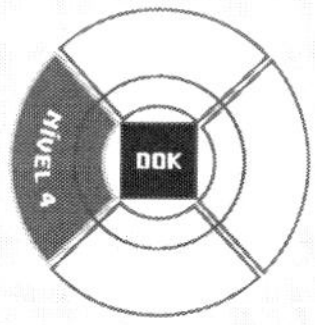
Investigue o terreno brasileiro, selecionando uma parte do país.	Google Earth, Topographic e Terrainator 3D	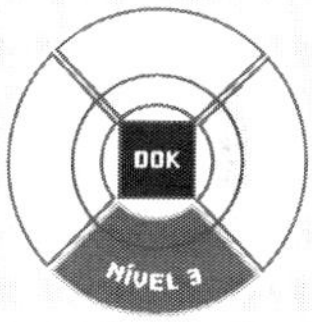
Compare dados coletados no território brasileiro com os dados da região do Himalaia e preencha o que se pede: altura, em metros, e tipo de relevo.	Papel, relatório	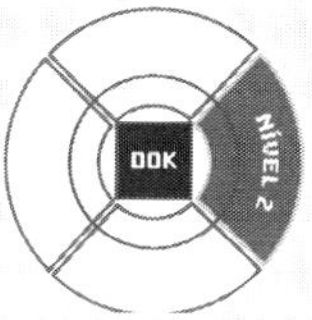

Quadro 10.1
Fonte: O autor.

Em seguida, os grupos foram orientados a buscar informações sobre o Nepal, respondendo a perguntas como: indicadores socioeconômicos, base econômica e riqueza (trata-se de um país pobre, rico ou em desenvolvimento?).

Todas essas etapas foram importantes para mobilizar os alunos e imergi-los no desafio. No entanto, antes disso, fiz questão de utilizar a matriz de polaridades comentada no capítulo 7 – sobre a gamificação do *design thinking* – para que os participantes pudessem enxergar de forma mais ampla o desafio que teriam que resolver. Assim, após a análise do terreno e de sua comparação com o brasileiro – muito menos acidentado do que o do Nepal –, os grupos tiveram que elencar os diversos problemas que poderiam enfrentar como consequência da paisagem natural da região e pensar em possíveis soluções para isso.

A segunda etapa foi finalizada com a apresentação das ideias levantadas pelas equipes. Nesse momento, todos repetiam a mesma ideia: problemas associados principalmente ao deslocamento e à logística de transporte em regiões com difícil acesso.

A próxima etapa foi a apresentação do desafio propriamente dito e o início de um processo de gamificação mais relacionado a pontos e à condição de vitória. O desafio basicamente consistia em construir um sistema de transporte com inclinação de modo a conectar o pico de uma montanha a outro pico. A altura deles, bem como a diferença dessa medida entre os dois, deveria ser resolvida por meio de uma *sidequest.* Na verdade, agora a experiência se ramificava ficando a cargo do grupo gerenciar o tempo e escolher qual missão resolver primeiro. Nesse momento, era mostrado para os participantes uma grade com a quantidade de pontos máximos para cada missão realizada.

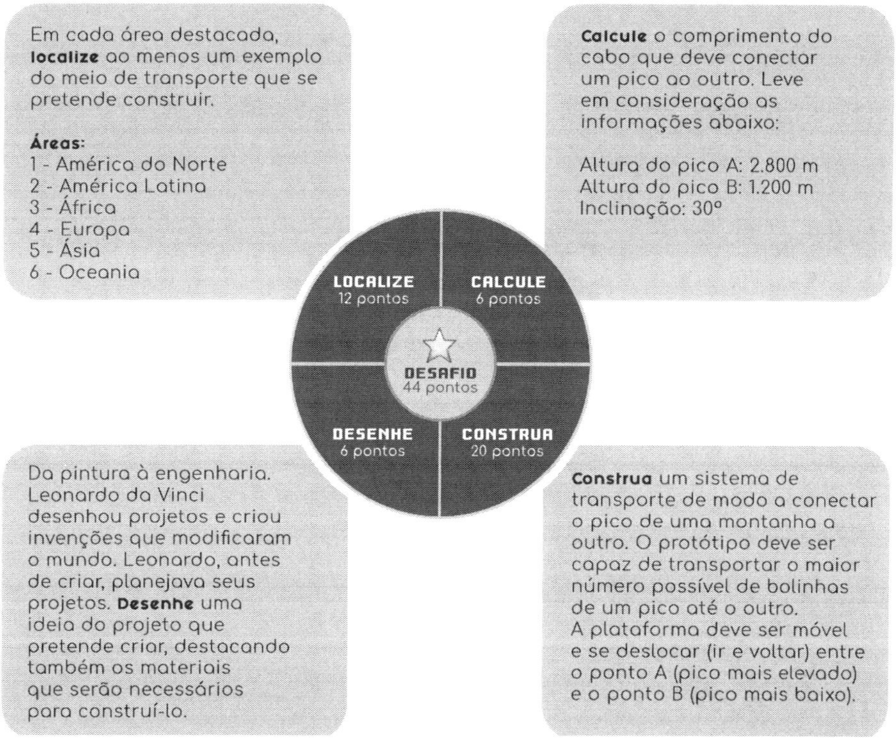

Figura 10.2
Fonte: O autor.

Para tornar o processo de avaliação mais completo, foi elaborada uma rubrica de avaliação do protótipo a partir de quatro critérios: eficiência/rapidez, segurança, fidedignidade e escala numérica. Foi entregue uma para cada grupo, a fim de descrever cada critério e como a nota final do protótipo seria atribuída.

	NÍVEL 1	NÍVEL 2	NÍVEL 3	NÍVEL 4
EFICIÊNCIA/ RAPIDEZ	Protótipo insuficiente; não conseguiu transportar cargas.	Protótipo razoavelmente eficiente; transporte de uma pequena quantidade de cargas.	Protótipo eficiente; de uma quantidade média de cargas.	Protótipo eficiente; transporte do maior número de cargas.
SEGURANÇA	Protótipo sem segurança; durante o transporte a maioria da carga caiu.	Protótipo com recursos precários de segurança; durante o transporte ocorreu a queda de carga.	Protótipo com segurança eficiente; durante o transporte ocorreu poucas quedas de cargas.	Protótipo com segurança bem eficiente; durante o transporte não houve queda de carga.
FIDEDIGNIDADE	Protótipo não realizável, recursos e estratégias fictícias.	Protótipo realizável, com alguns recursos fictícios e fantasiosos.	Protótipo realizável, contando com recursos de engenharia.	Protótipo realizável, contando com recursos bem sofisticados de engenharia.
ESCALA NUMÉRICA	Protótipo sem aplicação de qualquer escala matemática.	Protótipo com escala numérica, mas sem referência ao cálculo realizado.	Protótipo com escala númerica e baseada em cálculo, porém feito de forma incorreta.	Protótipo com escala numérica e baseada corretamente no cálculo.

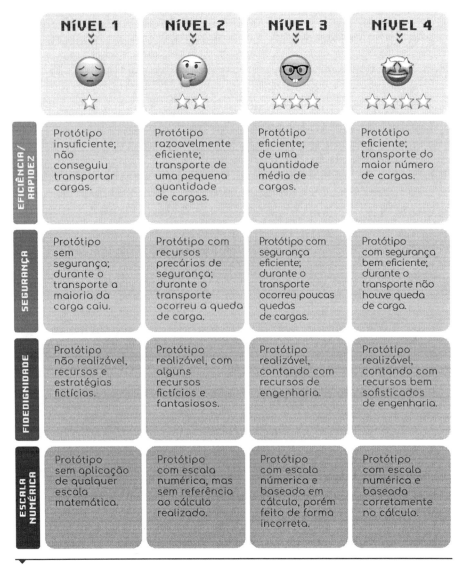

Quadro 10.2: Rubrica de avaliação do protótipo com base em quatro critérios: eficiência/rapidez, segurança, fidedignidade e escala numérica.
Fonte: O autor.

Os grupos ficaram à vontade para realizar qual missão desejassem. Nessa altura, tornou-se muito importante o trabalho em equipe, a divisão de tarefas e o papel desempenhado por todos para assegurar a realização de todas as missões com sucesso. Para construir o protótipo, os participantes tinham a sua disposição diversos materiais: barbante, plataforma de papelão laminado, roldanas, materiais gerais de papelaria, como tesoura, cola, papel-cartão, dentre outros. Como solicitado, os grupos deveriam calcular o comprimento do cabo, bem como elaborar uma escala numérica para criar os desníveis e realizar o transporte de bolinhas coloridas. Na verdade, as quatro missões, partes do desafio propriamente dito, relacionavam-se. Repare, a missão localizar tinha como objetivo secundário inspirar os alunos quanto ao formato e às formas de funcionamento do teleférico, além, claro, de mostrar como a ideia prototipada já era utilizada em diferentes partes do mundo com propósitos variados. O desafio do calcular demandava um cálculo trigonométrico, dando as diretrizes básicas para que eles construíssem o protótipo alinhado com as necessidades da rubrica, especialmente em relação aos critérios de escala numérica e fidedignidade. Da mesma forma, o desafio desenhar foi uma forma de apontar para os participantes a importância do planejamento, este feito com base em cálculos matemáticos.

Essa foi a forma que encontrei para mostrar, inclusive, a experiência de aprendizagem interdisciplinar, como demanda à abordagem do STEAM.

REPETIÇÕES **e refinamento**

Todas essas atividades, das missões inicias até o grande desafio propriamente dito, foram realizadas em apenas quatro horas, no formato de workshop de formação de professores. É importante ressaltar que a proposta foi aplicada inúmeras vezes e seu escopo já sofreu modificações. Na primeira aplicação, por exemplo, não havia rubrica. O único critério gerador de pontos era o número de bolas coloridas carregadas pelo protótipo. Pensando no contexto pedagógico, esse critério dizia pouco sobre tópicos e conteúdo, especialmente em relação ao uso do cálculo trigonométrico – já apresentado na primeira versão – no projeto. A rubrica de avaliação permitiu uma averiguação muito mais rica, porém me demandou mais tempo para a análise dos protótipos e tornou a atividade mais burocrática. Outra modificação importante foi quanto à limitação do uso de materiais. Na primeira aplicação, os alunos podiam usar qualquer tipo de material que estivesse disponível. Nesse formato, vi alunos correndo para fora da sala e trazendo de outros lugares caixas grandes, recipientes que jamais imaginava que poderiam usar em seu projeto. Essa busca era justificada, inclusive, pela única condição de vitória estabelecida: o transporte do maior número de bolinhas coloridas. No entanto, isso trazia muitos problemas e uma motivação exacerbada em relação a um único objetivo – que necessariamente não dizia muito sobre a minha intencionalidade pedagógica, além de gerar ruído entre os alunos e um clima altamente competitivo. Os grupos não colaboraram entre si, compartilhando ideias e materiais. Já na segunda aplicação busquei oferecer para cada grupo um *kit* com o mínimo de materiais que incluía dez metros de barbante, plataforma de alumínio com tamanho padronizado e quatro roldanas. Os projetos ficaram bem mais interessantes e comparáveis, diminuindo os ruídos no momento do "vamos ver" – do teste de transporte das bolinhas coloridas, além de observar maior interação e colaboração entre os grupos.

Como já comentei, gamificar é bastante parecido com o ato de cozinhar. Encare seus objetivos pedagógicos e seu repertório sobre mecânicas de jogos e tecnologias digitais como ingredientes para criar uma boa experiência gamificada. Se focar muito um objetivo puramente de jogo, como foi o caso da ideia de priorizar exclusivamente a quantidade de bolinhas transportadas, você pode ter um prato enérgico, cheio de tempero e vigor. No entanto, o excesso de tempero pode ofuscar outros ingredientes ali, como o objetivo pedagógico em si. Por exemplo, não fazia sentido os alunos construírem um teleférico apenas para transportar o maior número de bolinhas. Qual aprendizado obteriam com isso? Construir por construir? Era essa mensagem que gostaria de passar para os professores participantes do workshop? Precisava criar uma estratégia para valorizar mais o cálculo que faziam, o esforço despendido na localização de outros teleféricos instalados no mundo e deixar mais evidente a importância de planejar antes de fazer. Na verdade, precisava deixar mais claro para os participantes o que era STEAM, ou seja, necessitava de mais currículo e menos jogo. Foi a partir dessas reflexões que fui refinando o workshop, lapidando a atividade e adicionando outros ingredientes para equilibrar seu sabor. Essa experiência também me ensinou que quase sempre a primeira versão de uma atividade gamificada não é satisfatória, o sucesso se alcança quando você itera, ou seja, repete processos e os torna mais refinados e centrados, tanto na sua necessidade como professor quanto na aprendizagem percebida pelos alunos. Ao criar uma primeira atividade gamificada, tenha sempre em mente isso. A primeira vez é uma tentativa e provavelmente será modificada ou até mesmo descartada. Não se esqueça: a repetição é a mãe da excelência.

11 EDUCAFLIX: COMO A **GAMIFICAÇÃO** PODE TRANSFORMAR SUAS AULAS EM UM **SERIADO DA NETFLIX**

– João, você não vai à aula hoje?

– Acho que não, é o primeiro dia e o professor só explica o que a gente vai aprender. Prefiro ficar assistindo Netflix.

Qual aluno nunca pensou assim? Eu mesmo já deixei de comparecer diversas vezes no início de um curso de longa duração porque sabia que o professor somente apresentaria o seu plano de aula. Para o aluno não "pega nada", o problema é sentido quando estamos como professor: na primeira aula faltam muitos alunos e na segunda aula o professor é forçado a repetir parte do que disse para os alunos faltosos. Resumo da ópera: a primeira aula não é produtiva, além de ser um prato cheio para deixar o professor a ver navios, com a sala vazia, em um momento em que ele está mais descansado e empolgado com o início da nova turma.

A apresentação de um ano letivo ou curso de longa duração é também bastante conhecida e enfadonha. O professor prepara um cardápio de conteúdos e um cronograma com as datas das provas e os temas das aulas, imprime o documento e entrega para os alunos ou, ainda, projeta na sala o documento. É bem provável que isso seja feito no Word ou no próprio Power Point. E, durante a aula, o que você faz? Lê o cronograma, explicando com mais alguns detalhes o que o aluno poderia fazer sozinho e sem aquela aula inicial presencial.

Não é para menos que o João e muitos outros alunos preferem ficar em casa assistindo a seriados do que ir para a aula. Seriados têm enredos curiosos e envolventes, que nos fazem maratonar para descobrir os próximos passos dos personagens e o progresso da história. A Netflix e outros serviços de *streaming* também têm uma interface muito organizada. De forma rápida, você pode acessar não apenas o seriado, mas também um resumo de cada episódio. De imediato, o usuário consegue ter uma noção de quanto tempo precisará para assistir a toda a temporada.

E por que não se inspirar nas características dessa incrível plataforma de conteúdos *streaming* e transformar nossas aulas em um grande seriado de sucesso entre os alunos? Dessa forma, cada aula seria um episódio, um passo a mais dentro da série contada e trabalhada pelo professor com seus alunos. Trocamos então os nomes: de "aula" para "episódio" e de "curso" para "temporada". E também o nome das "partes da aula" para "fases" ou "missões", inspirado nos jogos de *videogame*.

Conto melhor como introduzi essa linguagem no capítulo 6, em um curso de ciência forense para alunos do Ensino Fundamental II em que fui professor.

Uma forma de gamificar processos de aprendizagem é por meio da atribuição de uma nova linguagem. Por exemplo, "guildas de magos e guerreiros" é um nome mais interessante do que simplesmente "grupos de alunos". Assim como mudar o status do aluno nota 10 para grande campeão ou mestre das galáxias. Outro modo de gamificar e criar algo original é mudando justamente a linguagem. Ela comunica uma experiência e coloca todos em uma mesma página. O mercado de séries conseguiu se descolar do cinema justamente por atribuir uma nova linguagem aos seus conteúdos, gerando uma experiência diferente para o espectador. O mesmo fez em relação às novelas, mais longas e com um caráter mais romântico, trágico ou cômico.

Mas, veja, simplesmente trocar seis por meia dúzia não vai surtir um efeito tão significativo em sua aula. O que quero dizer é que apenas substituir o nome "aula" por "episódio", e semestre, ano letivo ou curso por "temporada" não vai mudar muita coisa. No entanto, se o cronograma fosse apresentado em uma interface parecida com a da Netflix? Como falei, a gamificação é potencializada por alguns elementos, dentre eles, a imersão. Por exemplo, se queremos fazer uma imersão dos alunos no Egito, é recomendável usar elementos que lembrem as pirâmides e as cores quentes do deserto. Não faz sentido mostrar, por exemplo, *slides* com uma floresta exuberante. O mesmo ocorre se quero colocá-los em uma situação de tensão, envolvendo a revelação de um suposto assassino. Não faz sentido algum explorar uma imagem com jovens rindo no mais alto estilo *Friends*. Imersão é reproduzir elementos estéticos coerentes à realidade que você explora. Lembre-se disso: nosso cérebro é um órgão ávido para detectar incoerências ao nosso redor. E essa coerência é instalada nas nossas mentes de acordo com as experiências prévias que tivemos.

Hoje, sabemos que as crianças passam um tempo considerável na internet, antes mesmo de chegarem à vida escolar. Elizabeth

Kilbey cita uma pesquisa que descobriu que a quantidade de tempo que as crianças britânicas passam na internet mais do que duplicou na última década. Em 2005, os jovens de oito a quinze anos ficavam on-line durante 6,2 horas por semana. Em 2015, o tempo médio passado on-line havia aumentado para quinze horas. As crianças começam a entrar na internet mais cedo também – em 2014, segundo a Ofcom, 47% das crianças de três a sete anos usavam tablets com acesso à internet. Em 2015, esse número já havia subido para 60%.[1] Quando a criança bota o primeiro pé na sala de aula, traz consigo um repertório enorme de experiências com produtos da cultura pop, inclusive, com conteúdos exibidos na Netflix e em outros serviços de *streaming*. Isso é aplicado tanto para crianças menores como para as maiores.

A Netflix, realmente, consolidou-se como a plataforma de conteúdo *streaming* mais popular do mundo. Então por que não aproveitar esse sucesso estrondoso para mudar a forma como apresentamos o plano de ensino para nossos alunos?

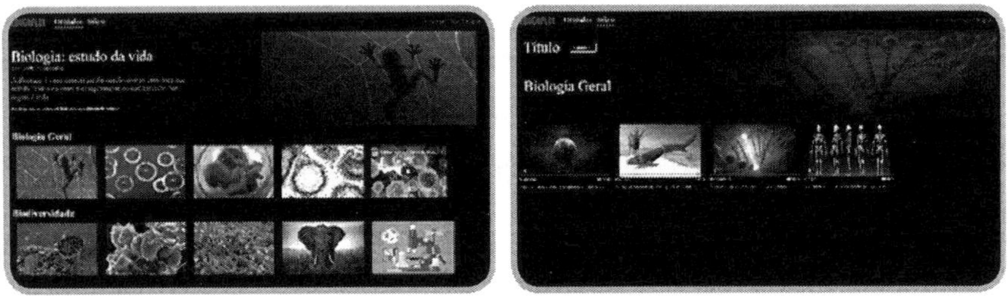

Figura 11.1: Interface do Educaflix. A ferramenta permite o professor modificar o logo e imagens, incluir vídeos hospedados no YouTube e personalizar senhas para acesso ao conteúdo.
Fonte: O autor.

1. KILBEY, Elizabeth. *Como criar filhos na era digital*. São Paulo: Fontanar, 2018.

Foi exatamente essa pergunta e possibilidade que me motivou a criar a Educaflix, uma interface digital e interativa em que o professor pode organizar seus conteúdos e compartilhá-los com os alunos. Mas veja, essa ferramenta não se restringe a uma interface mais "bonitinha" de apresentação de conteúdo. Essa característica é a ponte do iceberg na verdade.

STORYTELLING

Vamos então mergulhar e conhecer o bloco que fica abaixo da água, aquele que resguarda o maior volume do grande iceberg. Um dos principais segredos das séries e dos *games* para engajar e prender a atenção do jogador é o *storytelling*, isto é, a arte de contar boas histórias. Mais do que atribuir uma linguagem pop e típica dos *games*, a gamificação força que você amarre as aulas de um curso ou treinamento em um grande enredo e conte uma história. Em um curso de matemática, o professor conta a história das formas geométricas e o modo de calcular ângulos e áreas. Em um curso sobre biologia, o professor também conta histórias sobre a evolução dos seres vivos, suas particularidades e formas de se relacionarem com os outros e com o meio em que vivem. Mas a narrativa de um docente típico é pautada, em geral, exclusivamente no conceito e no conteúdo trabalhado. Por outro lado, séries de TV e jogos, antes de falarem sobre o conteúdo em si, introduzem os elementos básicos de um bom *storytelling*: personagens, ambiente, desafio ou conflito, sendo assim capazes de emocionar, envolver e gerar expectativas.

6 passos para contar uma BOA HISTÓRIA

1 - EXPOSIÇÃO

Apresente seu herói.

Dê-lhe um objetivo. Coloque-o em ação. Ninguém é perfeito, então atribua algum defeito a ele. Não o julgue, deixe isso para o espectador. Faça o leitor/ espectador se importar com ele.

Contextualize no tempo e no espaço a sua história.

2 - CRISE

O que tira tudo da normalidade?

- Pense em conflitos internos;
- Pense em conflitos externos;
- Pense em conflitos interpessoais;
- Ameace com a morte física, psicológica ou social;
- Crie uma ruptura irreversível.

3 - COMPLICAÇÃO

Piore as coisas. O que deu muito errado?

Apresente amigos e inimigos, tropeços, pistas falsas e caminhos errados.

Momento espelho: passado × futuro (faça o espectador viajar no tempo, conhecendo mais sobre o passado do herói ou suas expectativas e medos em

relação ao futuro).
Espiral de problemas. Tentativas e erros.
Crie tensão, gere alívio, crie mais tensão.

4 - CLÍMAX

Em um beco sem saída, o herói encara a morte. O conflito chega ao ápice. Herói e vilão precisam fazer escolhas. A vida ou o objetivo fica por um triz.
A hora mais tensa e obscura.

5 - TRANSFORMAÇÃO

Hora da virada.

- O momento de superação;
- Relações se transformam;
- Atitudes mudam;
- Descobertas e aprendizados;
- A grande revelação.

6 - RESOLUÇÃO

- Comemorações e celebrações;
- Retorno ao ponto de partida;
- A volta para casa;
- Antecipação do que está por vir;
- Final feliz ou infeliz;
- Uma pergunta fica no ar...

Na sala de aula, a contextualização fica mais por conta de filósofos, cientistas e personagens que participaram da descoberta científica e do fato histórico. Por exemplo, em uma aula de geometria, o professor pode começar falando da Grécia antiga e de um personagem chamado Euclides. Já na de biologia, o professor pode contar detalhes sobre a incrível viagem que Charles Darwin fez a bordo do HSM Beagle. Como há muita informação sobre esse cientista natural, talvez o docente avance mais, falando sobre os embates e conflitos que Darwin arranjou com a Igreja na época. A área de humanas também é um prato cheio para o professor introduzir personagens, conflitos e cenários diferentes para contextualizar suas aulas.

Arcos narrativos situam o estudante e atribuem um propósito aos personagens, dando motivos para suas ações dentro da trama. Processos gamificados emoldurados por uma narrativa costumam fazer sucesso porque contextualizam, sensibilizam e explicam as motivações, por exemplo, de um inimigo que precisa ser derrotado ou de uma missão que precisa ser cumprida. Os alunos conhecem uma realidade alternativa, agindo como personagens com poderes mágicos e uma vida diferente da sua rotina. Há também aí a possibilidade de lançar os alunos para outros metauniversos e enredos fictícios, muitos deles inspirados na literatura de ficção científica ou em obras como *Harry Potter*, de J. K Rowling, *O senhor dos anéis*, de J. R. R.Tolkien, ou ainda *Star Wars*, de George Lucas. Todas essas franquias são séries, e em cada filme ou episódio se conta uma história que tem uma continuidade na próxima. O final de cada parte acende a vela do pavio da curiosidade para assistir ao próximo. Essa é a fórmula mágica das séries de TV e da Netflix que professores podem replicar e engajar seus alunos em suas propostas pedagógicas.

Dessa forma, a Educaflix[2] ajuda o professor a compartilhar um enredo com os alunos, uma jornada que ele viverá ao longo do curso com um início, meio e fim. E o melhor, essa história não será exibida por meio de uma tabela crua sem vida, mas sim de uma interface que o remete a um produto validado no mercado, que ele já conhece e gosta de interagir.

CURADORIA: **criando um *hub* de acesso**

Outro uso interessante da Educaflix é para a organização de links e materiais disponíveis na *web* em um único local para os alunos acessarem. Esse é o próximo passo para um mergulho mais profundo e esclarecedor sobre os benefícios dessa ferramenta para a educação. Falo agora da habilidade de curadoria de conteúdo, essencial para um professor do século XXI. Veja bem, se antes o professor era aquele que dominava determinado conhecimento e só por meio dele se tinha acesso a essa sabedoria, atualmente, praticamente tudo está disponível na *web*. Mas, repare, informação não é conhecimento. Hoje, milhões de *bytes* de informação são gerados por segundos, criando um problema de excesso de informação disponível. A todo o momento, somos bombardeados por um conjunto massivo de estímulos audiovisuais que consome nossa atenção e cognição.

O desafio é separar o joio do trigo, e esse papel cabe ao professor, que deve selecionar o que é realmente relevante saber. Fazer

2. O Educaflix pode ser adquirido em um curso de pequena duração disponível em: <https://aulaemjogo.com.br.> Acesso em: 19 ago. 2020.

curadoria de conteúdo não é uma tarefa trivial, e já adianto que será uma habilidade cada vez mais valorizada no futuro. Tudo se inicia com uma pesquisa, que consiste no acompanhamento de notícias, textos, vídeos, artigos e na identificação das melhores fontes. Em seguida, precisamos definir alguns canais para salvar essas informações.

O problema é que volta e meia as coisas saem dos trilhos e começamos a guardar as informações em diversas aplicações – e esquecemos onde foram salvas. A Educaflix ajuda você com isso, oferecendo aos alunos uma experiência singular, com uma usabilidade bonita e fácil. Criei a Educaflix pensando em como o professor pode usá-la para criar diferentes trilhas de conteúdo e organizar isso da melhor forma possível para o estudante.

Nessa ferramenta, o professor pode criar quantas categorias desejar. Estas também podem ser chamadas de trilhas. Assim, o professor pode criar uma trilha com *slides* da aula, que podem ficar armazenados em algum serviço de nuvem como Google Drive, Onedrive ou Dropbox. Em outra trilha, o professor pode fazer uma curadoria de vídeos. Em outra pode organizar as ferramentas e assim por diante. Outra possibilidade é organizar várias trilhas com *slides* das aulas, mas cada uma com assunto diferente. Por exemplo, em um curso de história, a primeira trilha poderia ser sobre história do Brasil e, na outra, história geral. Ainda, cada elemento da trilha, que pode ser associado a uma série, tem os episódios que são acessados em outra página dentro da Educaflix.

PROGRESSÃO E A **estratégia de lançamento**

Nada melhor do que criar expectativas na plateia e deixá-la salivando de curiosidade para o que será lançado. A premiada série *Game of Thrones* estreou em 17 de abril de 2011, na HBO, e a oitava e última temporada foi lançada oito anos depois, em maio de 2019. Sempre muito aguardada pelos fãs, a guerra envolvendo gelo, fogo e a disputa pelo trono de ferro foi alimentada pelo sistema inteligente de lançamento das séries. No caso, a Netflix é uma exceção, já que costuma liberar todos os episódios de uma única vez. Mas não há como negar como é acertada a estratégia de oferecer acesso aos poucos para o espectador. O mesmo ocorre nos jogos. Veja, por exemplo, no Super Mario Bros. 3, em que o jogador tem uma visão geral do primeiro mundo, mas explora fase a fase o cenário, conquistando os novos aos poucos. Todavia, e se você pudesse ter controle e liberar o acesso a determinado conteúdo paulatinamente, como fez muito bem a equipe de séries premiadíssimas como *Lost*?

Imagine que você disponibilize de uma vez só toda a trilha de aprendizagem para o aluno, mas, quando ele tenta acessar um material que pertence ao final, descobre que precisa de um código. É exatamente isso que você pode fazer com os conteúdos disponibilizados na Educaflix. Você pode configurar senhas para cada parte da trilha. Sei que isso é frustrante, mas ao mesmo tempo é empolgante à medida que você acalma os alunos dizendo que o código será revelado mais adiante, quando os passos anteriores forem cumpridos. Repare, de forma simples, a Educaflix reproduz uma estética de progressão, da mesma maneira que um sistema de lançamento realiza com a sua audiência.

Com as senhas, você consegue reproduzir outras características dos jogos, portanto torna sua gamificação mais potente e versátil. Por exemplo, o conhecimento das senhas pode se transformar em recompensas, acesso, privilégio ou conquista de status para um aluno ou grupo. É muito interessante repararmos que uma única ferramenta pode ser utilizada para muitas coisas. No contexto pedagógico, ela pode ser a pedra de toque do seu arco narrativo. A ferramenta também pode potencializar a imersão do estudante, além de cumprir outras funções, como as de repositório, dinâmica de progressão e recompensas. Professores podem ir além, utilizando também a Netflix como uma ferramenta de curadoria de conteúdo e *hub* de acesso de informações realmente relevantes para o aluno e para o professor.

Se a Educaflix oferece uma interface agradável e progressiva, que facilita o acesso ao conteúdo da aula pelos estudantes e pelo professor, as ferramentas apresentadas no próximo capítulo focam a dinâmica de participação e execução das atividades planejadas. Chegou a hora de conhecer os painéis interativos do Class Dash.

12 CLASS **DASH**: O ENSINO HÍBRIDO **GAMIFICADO**

Nos últimos anos, o ensino híbrido virou uma febre entre os educadores. Esse modelo educacional se caracteriza por mesclar basicamente dois modos de ensino: o on-line, em que o aluno faz uso de recursos tecnológicos para aprender no seu tempo, modo e/ou ritmo; e o off-line, momento que ocorre geralmente na escola, em que o aluno estuda em grupo, realiza atividades presencialmente e aprofunda a discussão com o professor e os colegas. Na abordagem de ensino híbrido, há diversas metodologias, como "rotação por estações de aprendizagem", "laboratório rotacional", "sala de aula invertida", "modelo à la carte", entre outros.[1]

Gosto muito do modelo de rotação por estações que consiste basicamente na criação de um circuito com atividades diferentes em cada canto da sala de aula. Em geral, cada estação propõe uma atividade diferente sobre o mesmo tema central. Por exemplo, em uma aula sobre o coração humano, em uma estação o aluno pode identificar a localização do coração no corpo humano em uma

1. Para mais detalhes, veja: BACICH et alii. *Ensino híbrido*: personalização e tecnologia na educação. Porto Alegre: Penso, 2015.

imagem, em outra estação pode assistir a um vídeo e depois responder a uma pergunta sobre a função do coração e em outra pode ler um texto sobre as principais diferenças entre veias e artérias. Na seguinte, pode conhecer, por meio de uma imagem, as diferentes câmaras cardíacas. Nesse tipo de aula, os alunos são organizados em pequenos grupos de quatro ou cinco integrantes e realizam uma espécie de rodízio pelas estações de aprendizagem.

O professor controla o tempo com auxílio de um *timer* que pode ser projetado na sala ou, então, usar o alarme do celular ou relógio para sinalizar aos alunos quando eles devem trocar de estação.[2] No Colégio Bandeirantes, usávamos essa estratégia para avaliar os alunos nas atividades de laboratório. Como era uma avaliação, a rotação era individual. Os alunos trocavam de estação a cada dois minutos. Essa mesma estratégia foi utilizada em praticamente todas as avaliações que tive de laboratório durante a faculdade: das aulas de anatomia às aulas de sistemática de fanerógamas.

A rotação por estações de aprendizagem funciona melhor quando as atividades têm uma estrutura independente da outra. Ou seja, sem demandar do aluno conhecimentos prévios de uma estação para realizar a outra. É necessário estabelecer um início, meio e fim – e isso acontece, em geral, pelo número de estações disponíveis. Por exemplo, se em uma aula há cinco estações de aprendizagem, os alunos então deverão fazer quatro trocas para entrar em contato com todo o conteúdo. Lembre-se de que cada grupo vai começar em uma estação diferente e circular a partir dela, é importante então que sejam capazes de iniciar, continuar e finalizar o circuito independente de qual estação se começa.

2. Há diferentes tipos de *timer* disponíveis na internet para uso. Eu gosto bastante do Timer Bomb, um cronômetro que simula uma bomba-relógio. Disponível em: <https://www.online-stopwatch.com/bomb-countdown/>. Acesso em: 20 abr. 2020.

A estratégia de estações por rotação funciona melhor também com desafios curtos, objetivos e rápidos. É uma prática mais informativa e recomendada para revisar e avaliar conteúdos. Outro uso bastante interessante é utilizar a técnica em um desafio final de uma unidade temática, colocando os alunos para trabalhar de forma colaborativa. A rotação por estações não é indicada para atividades que demandem uma atitude mais reflexiva do aluno, visto que a pressão exercida pelo tempo e pelos disparos sonoros podem gerar ansiedade e um ambiente inadequado para refletir de forma profunda sobre o tema solicitado. Na outra ponta, a estratégia engaja muito o aluno, energiza a turma e mobiliza uma série de competências: trabalho em grupo, persistência, poder de síntese e comunicação.

Mas há uma coisa que torce meu nariz para essa estratégia: qual é o propósito dos alunos ficarem rodando as estações? Ele está mais focado na necessidade do professor do que do aluno, de fato. Alunos rodam as estações para cumprir atividades planejadas e impostas pelo professor. Ainda, faltam também referenciais claros sobre a progressão do aluno (ou grupo) na atividade e elementos mais explícitos de colaboração, competição ou coopetição, que tornam a aula mais "adrenalizante". A gamificação, nesse sentido, pode ser utilizada na rotação de estações para atribuir um propósito mais épico e lúdico, engajando o estudante e energizando a turma como um todo.

E há ainda outro detalhe que deve ser considerado: se ao invés de existir um circuito fechado e linear, não houver processos mais abertos e não sequenciais? Ou seja, porque não oferecer maior autonomia para o estudante realizar as atividades na ordem em que ele achar necessário? Assim, em grupo, os alunos podem definir uma estratégia, e partir para a ação com mais garra e vontade. Claro que essa abertura pode impactar a organização logística dos alunos e dos materiais, e isso precisa ser levado em conta durante o planejamento da atividade. Por exemplo: se estiver disponível um único computador ou um único microscópio, talvez faça mais sentido um circuito linear e fechado de modo a organizar de forma mais eficiente o fluxo dos estudantes.

Tanto na rotação por estações com circuito aberto como no circuito fechado, o professor precisa monitorar o desempenho dos alunos e, ao mesmo tempo, os alunos desejam identificar com mais precisão o seu progresso. Outro ponto, é que em um circuito fechado os grupos são todos independentes, não há interação entre eles. No aberto, há uma chance maior de os grupos interagirem. E a gamificação pode auxiliar na estruturação dessas interações. Na verdade, a gamificação modifica a dinâmica de interação entre os grupos por meio da competição, colaboração e/ou coopetição.

Foi pensando nisso que criei o Class Dash, uma série de painéis interativos e gamificados em que o professor pode configurar e rodar uma atividade de "corrida" em sala de aula. O nome foi inspirado nos famosos painéis de monitoramento que mostram métricas e indicadores importantes para alcançar objetivos e metas traçadas de forma visual, ou seja, nos *dashboards*. Como o seu uso é voltado para sala de aula, então resolvi usar o sufixo "*class*" que, em inglês, quer dizer aula. É importante também destacar que diversos títulos de jogos utilizam a palavra "*dash*", no final, para indicar que o jogo é de corrida, como ocorre em Sonic Dash, Pokémon Dash e Departure Dash.

O Class Dash foi totalmente inspirado no modelo de gincana e de rotação por estações que aprendi nas aulas de anatomia da faculdade. Mas é importante destacar que o Class Dash tem uma estrutura diferente: cada atividade não tem um tempo específico, mas sim um tempo total escolhido pelo professor (por exemplo, cinquenta minutos) em que os alunos devem realizar um número X de atividades. Conforme os alunos vão realizando-as, o professor valida e muda o status do grupo no painel. Além da dinâmica tensa do tempo regressivo, o Class Dash instala na turma dinâmicas colaborativas e competitivas entre os grupos de alunos.

O design e as mecânicas de funcionamento de cada painel interativo foram inspirados em jogos famosos, como Plants Vs Zombies, Chrono Trigger, Pokémon: The Battle; Final Fantasy, Clash Royale, Angry Birds, Batalha Naval e Badland. O Class Dash tem uma estrutura bem simples, com uma tela de configuração em que o professor pode escolher:

- Tempo total da atividade;
- Número de times;
- Número de desafios (atividades ou estações).

Após a configuração, o professor então pode acessar a tela principal e tocar em *play* para iniciar o tempo regressivo. Todos os painéis interativos permitem pausar e reiniciar o tempo quando quiser. Para utilizá-lo, é muito simples, o professor planeja as atividades (desafios) e organiza em sala de aula do jeito que quiser, com o conteúdo que lhe for conveniente. O Class Dash não tem nenhum objetivo de impactar o conteúdo do professor, portanto não se trata de uma gamificação de conteúdo, mas sim de uma gamificação estruturada. O professor pode organizar os desafios e espalhá-los pela sala ou, ainda, organizá-los em algum espaço digital – que pode ser desde uma sequência de *slides* em Power Point até em um painel digital como no do Padlet[3] ou mesmo um arquivo de Word, Excel etc. Planejados os desafios, o professor então divide os alunos em pequenos grupos e forma os times. O painel interativo do Class Dash deve ser projetado em algum local da sala, de modo que os grupos possam visualizá-lo.

Com a pandemia do coronavírus, testei seu uso em aulas virtuais e o resultado foi bastante promissor. O professor pode acessar os painéis via navegador e compartilhar a tela com os alunos em programas de videoconferências como Zoom, Google Meet, Whereby, Jitsi, Skype e WebEx.

Após projetar ou compartilhar a tela do Class Dash, basta dar o *play* e deixar os alunos se divertirem, correndo literalmente atrás do desafio. O Class Dash não valida sozinho a resposta do aluno, ela deve ser feita pelo próprio professor no painel interativo. O processo de validação se resume basicamente a um clique. É fácil, rápido e descomplicado.

Vamos agora conhecer a lógica de funcionamento de cada painel interativo e gamificado do Class Dash.

ZUMBI **DASH**

Plants Vs. Zombies[4] é um dos jogos mais populares para celular da última década. Lançado em 2009 e desenvolvido pela PopCap Games, o jogo de combate entre uma variedade de plantas contra

3. Disponível em: <padlet.com>. Acesso em: 20 abr. 2020.

4. Para mais informações sobre o jogo, acesse: <https://www.ea.com/pt-br/games/plants-vs-zombies/plants-vs-zombies>. Acesso em: 20 abr. 2020.

hordas de zumbis continua fazendo muito sucesso entre crianças, adolescentes e especialmente adultos. São raras as noites em que minha esposa não joga uma partida de Plants Vs Zombies enquanto jogo Clash Royale. Na verdade, nós dois gostamos muito do estilo *tower defense* (em português, "defesa de torres"), um gênero bastante popular entre os jogos de *videogame* que demanda estratégia em tempo real do jogador. Basicamente, o objetivo de jogos de *tower defense* é tentar impedir que o adversário percorra por um mapa e destrua sua torre. Para isso, o jogador pode posicionar membros de seu exército no espaço, que passam a atirar continuadamente contra o outro jogador. Nesse caso, a seleção e o posicionamento das torres é o coração da estratégia no jogo. Em Plants Vs. Zombies, o jogador deve defender uma casa dia e noite contra os ataques dos zumbis que perambulam pelo quintal em direção à porta. Assim, o jogador deve selecionar e posicionar plantas que atiram contra os zumbis. É um jogo desafiador, divertido e muito viciante.

Figura 12.1: Batalha das plantas (grupos de alunos) contra os zumbis. Disponível em: <https://classdash.aulaemjogo.com.br>.
Fonte: O autor.

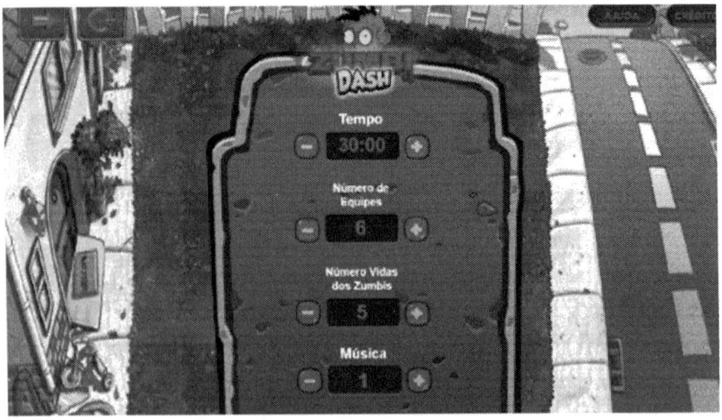

Figura 12.2: Tela de configuração do Zumbi Dash.
Fonte: O autor.

Inspirei-me na mecânica central desse jogo para criar o Zumbi Dash, em que os zumbis precisam ser eliminados antes que atravessem todo o mapa. Assim, o professor pode determinar um tempo específico para o zumbi atravessar o quintal e eliminar a única planta que atira contra ele. O Zumbi Dash motiva o aluno a cumprir tarefas e, assim, o professor poderá disparar com um clique um tiro contra o zumbi, causando dano e retirando um ponto de vida. Nesse caso, o professor pode configurar quantas vidas terá o zumbi. Cada desafio cumprido pode ser considerado como sendo um ponto de vida dele. Cada time deve eliminar um zumbi ou então toda a turma pode se unir para combater um único inimigo. Nesse sentido, o painel interativo proporciona atividades mais colaborativas e focadas no cumprimento do objetivo contra o tempo. O Zumbi Dash tem uma mecânica focada na competição do grupo contra o tempo, não contra outros grupos. É uma aplicação que pode também ser útil para juntar toda a turma e motivá-los para juntos enfrentarem um grande desafio (um *boss*, por exemplo). Imagine uma aula de trigonometria em que os alunos precisem aprender sobre seno, cosseno e tangente e suas relações trigonométricas a partir do estudo do triângulo retângulo. O professor pode, então, preparar desafios envolvendo cálculos, interpretações de desenho e análise de tabelas ou criar uma trilha com um número pequeno de desafios e distribuir igualmente para todos os grupos. Cada vez que o grupo alcançar o resultado correto e comunicar o professor, um disparo da planta é dado em direção ao zumbi da trilha correspondente, causando-lhe um dano de menos uma vida. Outra possibilidade: o professor pode organizar uma lista de desafios maior e oferecer para a turma toda. Os estudantes então devem definir uma estratégia e fazer a divisão de tarefas. E, no tempo disponível, devem realizar todas as atividades para, assim, conseguirem matar o zumbi.

CLASH **DASH**

Outro *game* incrível que me inspirou na elaboração de um dos painéis gamificiados foi o Clash Royale, jogo desenvolvido e publicado pela Supercell.[5] Já bem mais recente do que Plants Vs Zombies, o Clash Royale propõe um confronto direto entre um jogador e outro. É um jogo de pura estratégia que mistura vários gêneros de *videogame* como *tower defense*, MOBA (*Multiplayer On-line Battle Arena* – em português, Arena de Batalha Multijogador On-line) e *card game*. No caso do MOBA, os alunos têm como referência os famosos League of Legends e Dota 2 – um dos títulos mais presentes nos eSports. Mas ao contrário desses dois grandes jogos,

5. Para mais informações sobre o jogo, acesse: <https://clashroyale.com/>. Acesso em: 20 abr. 2020.

o Clash Royale se joga no celular. O *game* conta com partidas de dois ou mais jogadores, cada jogador ou time se degladia em um mapa simétrico até um dos lados conseguir destruir as três torres do oponente.

A mecânica central de Clash Royale, focada no objetivo de destruir a torre do oponente, inspirou-me bastante para criar o Clash Dash. Nessa aplicação gamificada, dois times (vermelho e azul) se enfrentam tentando eliminar a torre do outro. O professor determina um tempo específico que durará o combate e os times devem realizar as tarefas nas estações de aprendizagem para que o aluno possa ativar um tipo de disparo contra a torre do outro time. Nesse caso, o professor pode configurar quanto de vida terá a torre, e cada desafio cumprido pode ser convertido em um disparo de flecha. O Clash Dash tem dois tipos de tiros: flecha e arpão. As flechas são disparadas pelos arqueiros dispostos em uma parte da arena de combate. Assim, cada conjunto de flechas disparadas pelos arqueiros contra a torre do outro time causa um dano de 100 pontos de vida. Já os arpões são disparados por catapultas e causam um dano de 200 pontos contra a torre do adversário. Desse modo, o professor pode propor desafios com pesos diferentes para os alunos.

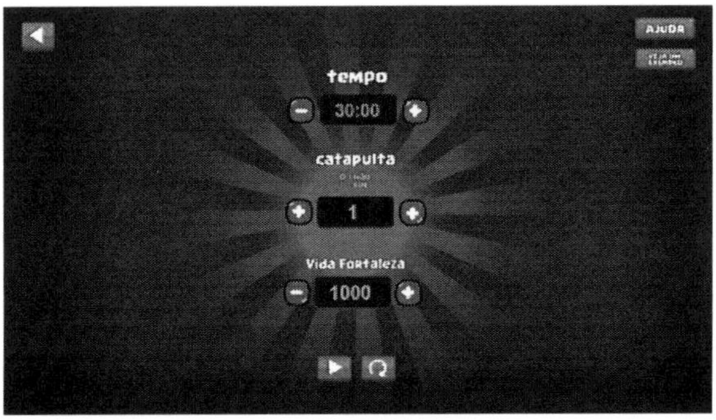

Figura 12.3: Configuração do Clash Dash. Disponível em: <https://classdash.aulaemjogo.com.br>.
Fonte: O autor.

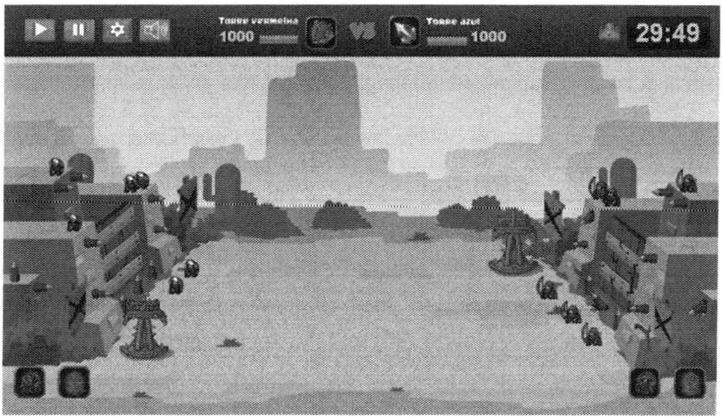

Figura 12.4: Batalha de torres, catapultas e arqueiros entre os times azul e vermelho.
Fonte: O autor.

Vamos agora imaginar uma atividade para revisar os conteúdos de história geral, mais especificamente sobre Idade Média. O professor então determina que os alunos realizem cinco atividades (cinco estações) sobre o tema. Cada torre então recebe 500 pontos de vida. Em uma estação, os alunos devem relacionar, por exemplo, diferentes tipos de impostos da época. A resposta correta validada pelo professor permite um disparo de flechas contra a torre vermelha causando um dano de 100 pontos. Em outra estação, os alunos precisam assistir a um vídeo curto sobre esse período histórico e depois responder a um *quiz* sobre as características gerais do feudalismo. Como essa tarefa é um pouco mais complexa e demanda mais tempo, o professor pode atribuir a ela peso dois. Assim, quando a resposta correta for apresentada, ele poderá ativar um disparo de arpão do time azul contra a torre do time vermelho, causando um dano de 200 pontos. Em outra estação, os alunos precisam responder a uma série de perguntas com alternativas do tipo "falso" e "verdadeiro". As respostas corretas ativam mais um disparo de flecha. Por fim, os alunos podem ler um texto sobre a relevância da Igreja Católica e identificar como o poder político se aliava ao religioso na época. Mais uma vez, a resposta correta permitiria mais um disparo de flecha, eliminando a torre do time vermelho. É claro que nesse exemplo não levei em consideração a realização das atividades pelo time vermelho e os danos que isso poderia causar sobre a torre do time azul.

Mas o que fica evidente aqui é que a aplicação é altamente competitiva, e o tempo regressivo importa menos do que a barra de progresso e os pontos de vida de cada torre. Essa é uma atividade muito empolgante e competitiva, principalmente por envolver um combate direto entre dois times. Particularmente, acredito que os alunos precisem ser expostos a diferentes tipos de dinâmicas e atividades. A escola jamais deve ignorar que, por mais que não desejamos e gostemos, a realidade é arraigada por episódios de competição e também de colaboração. O interessante do Clash Dash é que há uma mescla entre um tipo e outro, e a dinâmica principal dessa aplicação é a coopetitiva.

BATALHA **NAVAL**

Se você não conhece Plants Vs. Zombies e Clash Royale, é muito provável que já tenha ouvido falar ou tenha jogado Batalha Naval, um clássico jogo de tabuleiro de dois jogadores, no qual cada um têm de adivinhar em que quadrados estão os navios do oponente. O jogo tem uma estrutura mais parecida com o Clash Royale, só que depende mais da sorte do que da estratégia em si dos jogadores. A Batalha Naval Dash não é diferente. Mas nessa aplicação quis propor algo mais competitivo e colaborativo entre dois times, em que a turma inteira pudesse jogar contra o tempo. Dessa forma, na Batalha Naval o professor pode escolher entre duas versões: dois campos (competitivo) ou campo único (colaborativo). Nessa aplicação, cada vez que o time cumpre uma atividade ganha o direito de escolher um ou mais quadrados para disparar o tiro.

Ao contrário das outras aplicações, na Batalha Naval o número de desafios planejado pelo professor pode não ser suficiente para que o aluno afunde todos os barcos, já que ele contará com a sorte e a intuição para disparar contra o tabuleiro. Nesse sentido, deve-se estabelecer algumas regras ou condições, ou até mesmo criar um número de desafios maior do que poderá ser realizado em sala de aula. Essa situação é mais propícia de ocorrer na versão com campo único, em que a turma toda joga no mesmo time e luta contra o tempo para acertar todos os barcos. Assim como nas outras aplicações, o professor poderá configurar o tempo da atividade, além de escolher a música e o número de barcos dispostos no tabuleiro (tanto na versão de campo único como na de dois campos). A quantidade de barcos disponível dá uma dimensão do número de desafios que você deseja trabalhar na atividade. Na Batalha Naval há vários tamanhos de barcos:

- Lancha militar: 1 × 2 (ocupam dois espaços);
- Submarino: 1 × 3 (ocupam três espaços);
- Bombardeiro: 1 × 4 (ocupam quatro espaços);
- Porta-aviões: 1 × 5 (ocupam cinco espaços).

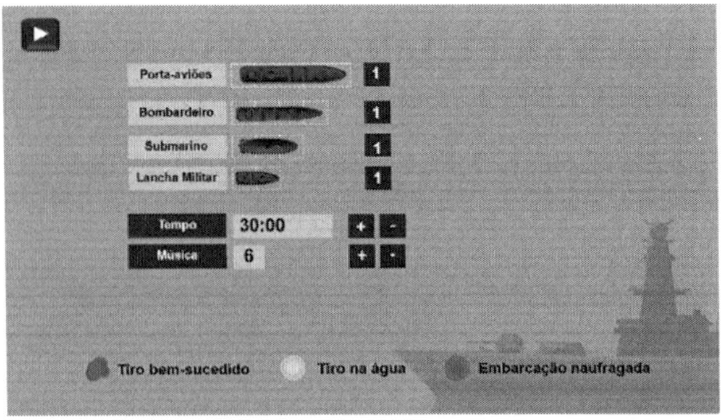

Figura 12.5: Configuração da Batalha Naval.
Fonte: O autor.

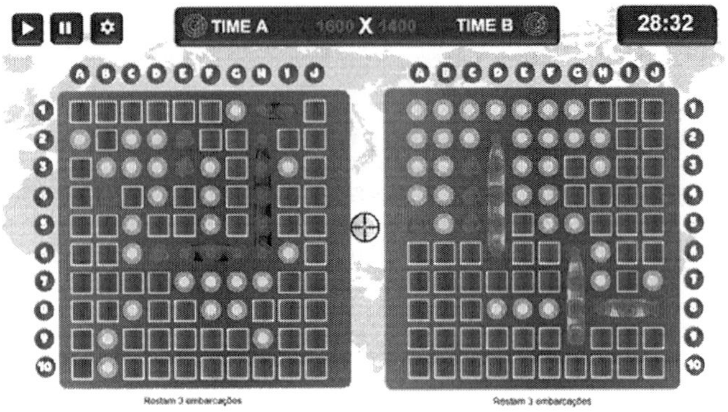

Figura 12.6: Campo de batalha. Disponível em: <https://classdash.aulaemjogo.com.br>.
Fonte: O autor.

A quantidade de navios pode ser definida e o sistema irá posicioná-los aleatoriamente sobre o tabuleiro antes da batalha. O professor pode combinar com a turma quantos tiros cada time terá direito após realizar uma atividade. A mecânica é muito similar às outras aplicações: o professor clica sobre o quadrado escolhido pelo time para atacar e o quadrado, identificado por letra e número, muda de status, podendo ficar branco (tiro na água) ou revelar uma parte de um dos barcos (tiro com sucesso). Como regra geral, ganha quem afundar todos os barcos do time oponente ou disponíveis no tabuleiro (no caso da versão de campo único). No entanto, o professor poderá aplicar outras regras, valendo-se, por exemplo, do número de pontos ou de tiros bem-sucedidos realizados sobre os navios.

No campo de batalha, os times ainda contam com um *power-up*, um auxílio que representa um sonar que revela a localização dos barcos no tabuleiro digital. O professor pode estabelecer regras para utilizar esse recurso ou oferecê-lo como recompensa quando o aluno realiza alguma atividade com sucesso.

HERO **DASH**

Os *videogames* atuais são, na verdade, desdobramentos e versões mais modernas de RPG, um tipo de jogo em que os participantes assumem papéis de personagens e vivem em mundos fictícios. Eles participam de uma narrativa mágica, explorando cavernas, vales encantados, castelos assombrados e enfrentando inimigos em um sistema de combate de forças, magia, defesas e habilidades específicas dos personagens.

Nos jogos mais antigos, como os da série Final Fantasy e Chrono Trigger, as batalhas eram organizadas em turnos, com os heróis e o vilão em lados diferentes do campo de combate. Nesse modo, cada personagem tem pontos de vida que são reduzidos conforme o dano recebido pelo oponente. Após uma vitória, normalmente, os personagens recebem pontos de experiência para aumentar sua força (nível), dinheiro e itens. Esses recursos podem ser utilizados para incrementar e evoluir os heróis, preparando-os para enfrentar batalhas mais difíceis, com chefões mais fortes e poderosos.

Apesar de a mecânica central das batalhas soar fundamentalmente como combativa e competitiva, na maioria das vezes os heróis se juntam para enfrentar o chefão. Assim, mais do que a competição, há a colaboração entre os heróis para alcançar um objetivo comum: derrotar o inimigo. Então, por que não utilizar esta mecânica para criar um cenário altamente colaborativo dentro da sala de aula? O Hero Dash tem exatamente esse propósito: inspirar os grupos de aluno a trabalharem de forma altamente colaborativa para derrotar um grande chefão. Nessa aplicação, o professor pode selecionar até seis heróis e o inimigo que os alunos deverão enfrentar. Assim como nas outras, o professor pode configurar o tempo total da batalha, a música e também o número de vida dos heróis, do inimigo, bem como seus pontos de vida e também a quantidade de pontos retirados (dano) quando um ataque é feito ao oponente. Durante a batalha, o chefão ataca aleatoriamente os heróis, em intervalos específicos de tempo de modo a eliminá-los caso o tempo se aproxime de zero.

Figura 12.7: Configuração do Hero Dash. Disponível em: <https://classdash.aulaemjogo.com.br>.
Fonte: O autor.

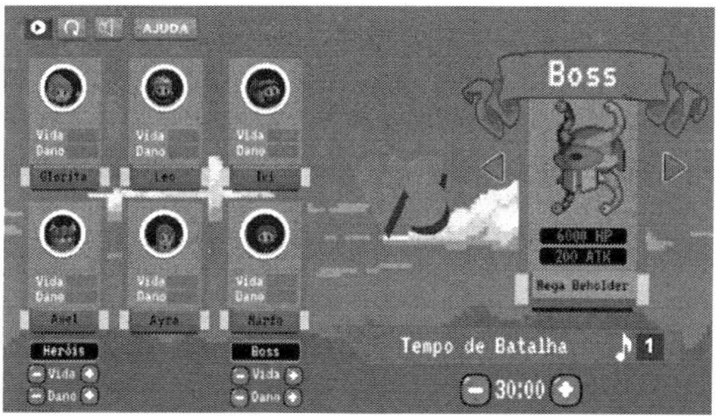

Figura 12.8: Batalha dos heróis contra o chefão.
Fonte: O autor.

Para facilitar, os pontos de vida e ataque variam de 100 em 100, tanto entre os heróis como entre os chefões. Os chefões, é claro, costumam ter uma quantidade muito maior de pontos de vida do que cada herói. O valor do ataque pode ou não ser diferente. Para configurar corretamente é necessário saber quantas missões os grupos terão que realizar. Importante lembrar: como o contexto é colaborativo, talvez seja necessário utilizar um número maior de desafios. Por exemplo, imagine que você aplique uma atividade em que cada grupo tenha que resolver três missões. Vamos também considerar cinco grupos/heróis com 1000 pontos de vida cada. Logo, no total, teremos quinze missões. Cada missão completada pode dar um dano de 100 ou 200 pontos. Se optar por 100, o chefão deverá ter 1500 pontos de vida. Se o dano for de 200, o chefão então deverá ter 3000 pontos de vida. Para ficar bem redonda a aplicação, o valor do ataque (dano) do chefão também deverá ser corretamente configurado. Para facilitar, vamos determinar que a batalha dure quarenta minutos e que cada ataque do inimigo retire 500 pontos de vida de um herói. Logo, ao longo da batalha, o chefão deverá fazer dez ataques atingindo aleatoriamente um herói com um dano de 500 pontos de vida. É durante esse tempo também que cada grupo deverá cumprir os objetivos para que o professor possa validar o ataque do herói contra o adversário, enfraquecendo-o aos poucos.

Nesse tipo de atividade, o professor poderá separar ou sortear os desafios para cada herói (grupo) ou simplesmente deixar todos os desafios disponíveis e contar com a organização dos próprios alunos para dividirem as tarefas. Minha experiência me ensinou o seguinte: quanto mais aberta a estrutura da atividade ocorrer (por exemplo, todos os desafios disponíveis para os alunos) maior o caos inicial. Esse caos impacta bastante o tempo de execução das atividades e até mesmo sua chance de sucesso. Há muito mais risco de surgirem conflitos, assimetrias na participação dos grupos e confusão durante a execução. Por outro lado, quanto mais à prova você expõe os alunos ao mundo real, mais subsídio e conhecimento de causa terá para discutir e trabalhar com eles as chamadas competências socioemocionais, relacionadas à maneira como interagem com as pessoas, planejam, organizam e manifestam persistência e espírito colaborativo para atingir um objetivo em comum.

A minha dica é que você inicie com aplicações mais fechadas, controladas e estruturadas. Por exemplo, distribua inicialmente os desafios para os alunos mediante um sorteio prévio. Os desafios podem ter números ou então nomes objetivos ou bem criativos, conforme você achar melhor. Em seguida, deixe que eles decidam e observe a dinâmica. É provável que algum grupo resolva primeiro os desafios designados a ele. Em seguida, espera-se que esses alunos ajudem outros grupos. Se isso ocorrer, bravo, isso é um sinal claro de que estão trabalhando, realmente, de forma colaborativa.

Porém, se eles se acomodarem, você poderá estimulá-los ou deixar a situação ocorrer naturalmente, mas depois utilizar esse fato para discutir com a turma o que é realmente colaboração. Essas reflexões finais costumam ser transformadoras, e mesmo que alguns alunos as tomem como um sermão ou lição de moral, acredito que a situação precise ser discutida com todos. Esse diálogo costuma ser um dos pontos altos e mais preciosos dessas atividades gamificadas.

ANGRY **DASH**

Em 2009, a Rovio Entertainment virou de cabeça para baixo o mercado de *games mobile* com o lançamento de Angry Birds. No jogo, os competidores usam um estilingue para lançar pássaros em porcos, com o objetivo de eliminá-los. O jogo demarca bem o avanço e o sucesso de *games* para *smartphones*, não é para menos que vendeu mais de doze milhões de cópias somente para IOS na Apple Store. O sucesso é tanto que hoje o jogo está em todas as plataformas e conta ainda com um longa-metragem e uma série de televisão. É um dos aplicativos móveis mais bem-sucedidos de todos os tempos, e já foi cogitado como candidato a ultrapassar o sucesso de Mickey Mouse e Super Mario Bros.[6]

Uma das grandes inovações de Angry Birds foi trazer para o universo dos *games* uma aplicação direta da física dos objetos, exigindo do jogador um pensamento estratégico centrado na dinâmica dos objetos e não necessariamente em inimigos em movimentos que contra-atacam. Ao contrário das batalhas de Chrono Trigger, Final Fantasy e do próprio Hero Dash, em Angry Birds

6. MITCHELL, Dan. Angry Birds: Aspiring to be like Mickey and Mario. *Fortune*. 14 oct. 2011. Disponível em: <https://fortune.com/2011/10/14/angry-birds-aspiring-to-be-like-mickey-and-mario/>. Acesso em: 14 abr. 2020.

os inimigos são imóveis. É um quebra-cabeça diferente que diz respeito mais à habilidade de o jogador planejar a trajetória de um projétil do que coordenar rapidamente golpes apertando os botões no tempo correto.

Inspirei-me na mecânica central de Angry Birds, isto é, no arremesso de projéteis contra os inimigos imóveis para criar o Angry Dash. Em vez de pássaros, posicionei diferentes zumbis para serem eliminados com o disparo de bolas de canhão. A ideia do uso da gamificação estruturada é a mesma das outras aplicações: usar um painel interativo para motivar os alunos a cumprirem atividades, produzirem mais nas aulas (presenciais e por meio de videoconferências) e interagirem com outros alunos.

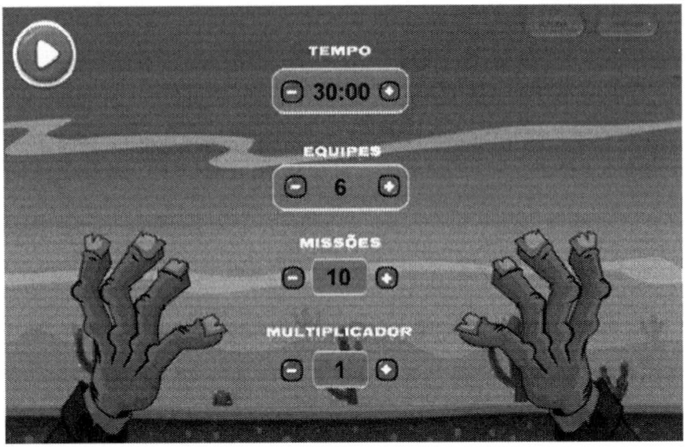

Figura 12.9: Tela de configuração do Angry Dash. Disponível em: <https://classdash.aulaemjogo.com.br>.
Fonte: O autor.

Antes da batalha contra os zumbis, os alunos visualizavam o painel gamificado com linhas (cada uma representando um grupo) e colunas (cada uma simbolizando um desafio).

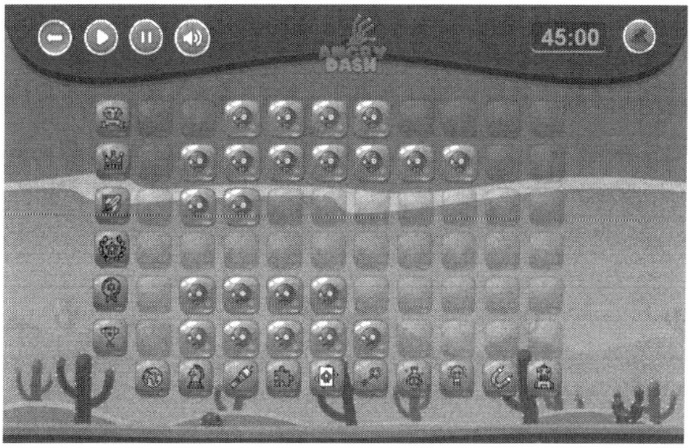

Figura 12.10: Painel interativo que mostra o número de atividades cumpridas/realizadas de cada grupo.
Fonte: O autor.

Na imagem acima, observamos que há seis grupos de alunos e cada um deve realizar até dez atividades durante sessenta minutos. A imagem sinaliza que o primeiro grupo (imagem do cristal) completou quatro atividades (lanterna, peça de quebra-cabeça, cartas de baralho e chave) após quinze minutos do início da atividade. Já o segundo grupo, representado pela coroa, completou sete atividades, enquanto o terceiro (escudo e espada) completou apenas duas. Mas o que isso significa? Como determinei na tela de configuração, o multiplicador com 1, cada realização de atividade atribui uma bola de canhão que poderá ser arremessada contra os zumbis. É como se cada atividade realizada representasse uma vida extra, uma chance a mais para eliminar os zumbis e ganhar mais pontos. Logo, a regra que o professor deve comunicar de forma bem clara é a seguinte: ganha quem fizer mais pontos! A probabilidade da vitória é maior quanto mais bolas de canhão se tem direito de disparar contra os zumbis.

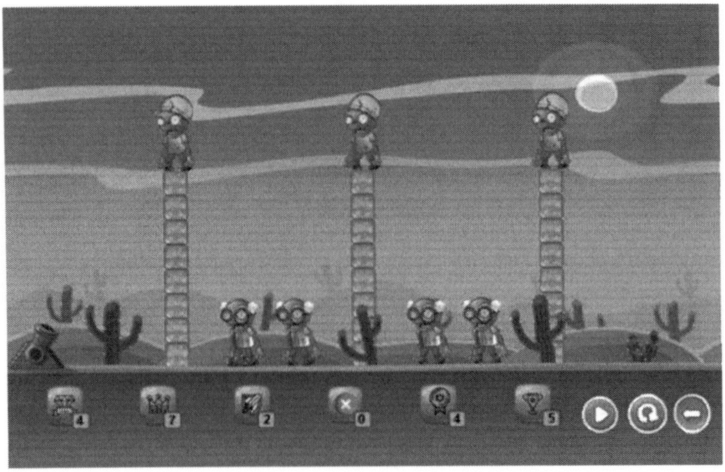

Figura 12.11: Batalha contra os zumbis, que estão mais assustados do que bravos como acontece com os porcos de Angry Birds. Observe os números 4, 7, 2, 0, 4 e 5. Eles representam o número de bolas que cada equipe poderá disparar para ganhar mais pontos.
Fonte: O autor.

Trata-se de uma atividade competitiva, muito embora possa ser utilizada também de modo cooperativo quando o professor, por exemplo, decide somar a quantidade de pontos e estabelece um número mínimo para que a classe atinja.

E olha que interessante: esse tipo de atividade desloca o propósito, do cumprir a atividade pela atividade, para o ganhar pontos destruindo os zumbis. E repete algo que os jogos fazem muito bem: amarra a proposta do cumprir o objetivo pedagógico do professor com a sorte e a habilidade de lançar bolas de canhões contra zumbis.

O Angry Dash conta com diferentes níveis, ou seja, diferentes modos de distribuição de zumbis, alguns mais fáceis, outros mais difíceis. Esses níveis são mostrados de forma aleatória para o jogador ou, ainda, podem ser mudados pelo professor. Isso adiciona um atributo que pode apimentar mais ainda seu uso. A expressão "apimentada" entra aqui no sentido de torná-la mais imprevisível, visto que os grupos podem ser beneficiados ou prejudicados pelo sorteio randômico dos níveis. Se o professor optar por esse tipo de mecânica, é importante explicitar ao máximo para os grupos essa possibilidade. A imprevisibilidade com certeza irá motivá-los ainda mais, já que diante de cenários de incerteza os grupos tendem a se "protegerem" mais e, no contexto do Angry Dash, realizarão mais atividades para ganhar mais bolas de canhão que, por conseguinte, poderão ser convertidas em mais pontos para a equipe.

AQUATIC **DASH**

Da mesma forma que podemos criar uma batalha contra zumbis, também é possível usar tal estratégia para criar uma corrida de submarinos. Essa é exatamente a proposta do Aquatic Dash: envolver os alunos em uma corrida de submarinos em um mar recheado de tubarões e outros inimigos do jogador. O Aquatic é um jogo do gênero *infinite runner*, também conhecido como corrida infinita, em que o cenário está em constante movimento e o jogador precisa desviar de obstáculos e inimigos que vem ao seu encontro. Esse tipo de jogo aparece aos montes nas lojas de aplicativos *mobile* da Apple, do Google e da Microsoft. Entre os títulos mais bem-sucedidos, estão Sonic Dash, Super Mario Run, Temple Run, Jetpack Joyride, Subway Surfers e Spider-Man Unlimited.

A lógica do Aquatic Dash é muito semelhante a do Angry Dash, ou seja, o professor poderá escolher o número de grupos e desafios, também conhecidos como missões. Para cada missão realizada, o grupo de alunos ganha uma vida extra para o submarino poder chegar mais longe.

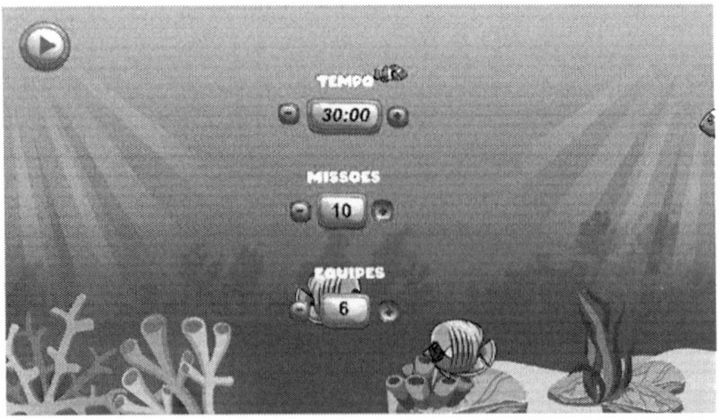

Figura 12.12: Configuração do Aquatic Dash: escolha do tempo, número de missões e equipes. Disponível em: <https://classdash.aulaemjogo.com.br>.
Fonte: O autor.

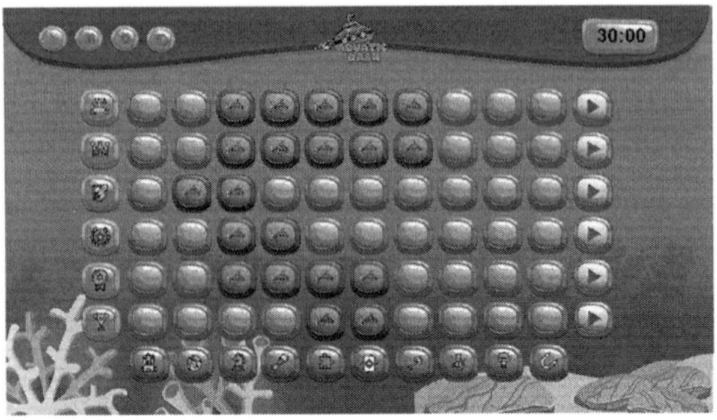

Figura 12.13: Painel interativo que mostra o número de atividades cumpridas/realizadas de cada grupo. Disponível em: <https://classdash.aulaemjogo.com.br>.
Fonte: O autor.

Da mesma forma que descrevi no Angry Dash, na imagem anterior observamos que o primeiro grupo (cristal) cumpriu cinco atividades, enquanto o terceiro (escudo espada) realizou duas. Logo, o primeiro grupo terá direito a cinco colisões com o inimigo (vidas) e o terceiro a apenas duas. A probabilidade do primeiro grupo ir mais distante do que o segundo é maior. Repare, a condição de vitória do Aquatic Dash é diferente da do anterior. No Aquatic ganha quem conduzir o submarino o mais distante possível. Trata-se literalmente de uma corrida.

Figura 12.14: Módulo do jogo em que o submarino deve se esquivar de tubarões e outros seres marinhos. O submarino pode atirar contra os inimigos. A cada cinco moedas coletadas, o jogador ganha um míssil extra. **Fonte:** O autor.

Como em qualquer jogo, o nível de dificuldade vai aumentando. Nesse Aquatic Dash, quanto mais o jogador permanecer ativo no jogo, mais seres marinhos virão em sua direção e com mais velocidade. Sempre que um jogador "morre", aparece um ranking com as distâncias de cada time.

É importante mencionar que o jogador conta ainda com mísseis que podem ser disparados contra os inimigos. E que esses projéteis podem ser conquistados com a coleta de moedas durante o jogo. São elementos que tornam a jogada mais "adrenalizante", com possibilidades reais de o jogador elaborar estratégias e pensar em alternativas distintas para alcançar seu objetivo.

PANDEMIA

A historiadora Lilia Schwarcz avalia que a pandemia do novo coronarívus marca o fim do século XX. Para ela, no futuro, professores precisarão investir algumas horas-aula para explicar o que foi vivido a partir de março de 2020. Ela ainda prevê o nome da aula: o dia em que a Terra parou.[7] Abruptamente, a economia foi paralisada em praticamente todos os países e o *homeschooling* se transformou quase em uma regra. Milhares de professores e milhões de alunos foram obrigados a modificar por completo a forma como se relacionam, sendo forçados a migrarem para um sistema de aulas virtuais.

A ideia do Pandemia nasceu observando esse cenário assustador modificador por completo das nossas vidas. Do mundo dos jogos, a inspiração veio de um jogo de tabuleiro conhecido como Pandemic, criado pelo *designer* de jogos norte-americano Matt Leacock entre as epidemias de SARS (2003) e de H1N1 (2009).[8] O Pandemic é um jogo cooperativo de estratégia. Ele não tem nenhum compromisso de ensinar sobre pandemias, mas promove de forma emocionante o trabalho em equipe, algo fundamental para resolver problemas complexos como o de uma pandemia. No jogo, os participantes assumem papéis (médico, cientista, especialista em quarentena ou agente de viagem) e devem se envolver em ações como viajar pelas cidades do tabuleiro, tratar as populações infectadas, construir estações de pesquisa e controlar epidemias até descobrir a cura para as doenças.

7. BRANDALISE, Camila; ROVANI, Andressa. 100 dias que mudaram o mundo. *Uol Universa*. 09 abr. 2020. Disponível em: <https://www.uol.com.br/universa/reportagens-especiais/coronavirus-100-dias-que-mudaram-o-mundo/>. Acesso em: 20 abr. 2020.

8. Para mais informações sobre o jogo, acesse: <https://www.ludopedia.com.br/jogo/pandemic>. Acesso em: 20 abr. 2020.

Baseando-me no mapa global de avanço da pandemia do COVID-19 do Centro de Ciência e Engenharia de Sistemas da Universidade John Hopkins, criei um mapa-múndi com círculos vermelhos, representando o avanço da pandemia sobre 24 países.[9] Acompanhando atentamente os noticiários e as estratégias da maioria dos países frente ao vírus, defini algumas medidas de contenção que os alunos poderiam arrastar sobre os países para diminuir o ritmo de crescimento. São elas:

- Hospitais para tratar dos infectados;
- Isolamento e distanciamento social;
- Controle de fronteiras;
- Auxílio econômico a empresas e cidadãos dos países afetados;
- Estação de pesquisa que ajuda na busca de novos medicamentos e na criação de testes para identificar os infectados.

O Pandemia é uma aplicação gamificada colaborativa. Os alunos precisam ganhar o direito de posicionar os itens sobre os países para evitar que entrem em colapso. Uma peculiaridade dessa aplicação, comparada as outras, é sua imprevisibilidade. A epidemia nasce em um país aleatório e se espalha para outros países em intervalos de tempo também aleatórios. Quando os itens são posicionados sobre os países, a taxa de crescimento de infectados diminui. O item representado por um cadeado (controle de fronteiras) diminui a probabilidade de o vírus nascer no país onde está posicionado. E, para deixar a aplicação mais adrenalizante, o professor pode escolher entre diferentes tipos de agentes infecciosos, entre eles o vírus da Influenza, bacteriófagos, citomegalovírus, Zika e, claro, o Coronavírus (SARS-COV-2) ou, ainda, COVID-19.

9. Veja em: <https://coronavirus.jhu.edu/map.html>. Acesso em: 20 abr. 2020.

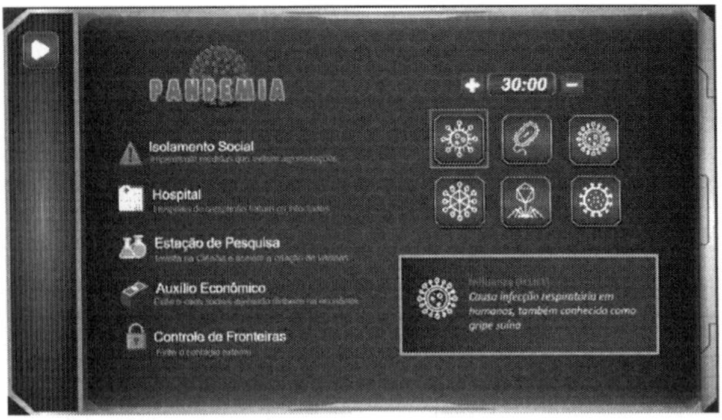

Figura 12.15: Tela de configuração do Pandemia.
Fonte: O autor.

Assim como nas outras aplicações, o professor pode selecionar o tempo que durará a atividade gamificada. Ele precisa informar algumas regras antes de iniciar a atividade, por exemplo, que ela é totalmente colaborativa e que os grupos precisam ficar atentos aos números crescentes no painel à direita. O valor numérico em porcentagem representa a taxa de infectados no país. Quando esse valor atinge 100% o país entra em colapso, e a imagem de uma caveira é estampada no mapa. Diferentemente das outras aplicações gamificadas, o Pandemia é imprevisível e não há uma condição certa de vitória. O objetivo é evitar que as nações entrem em colapso.

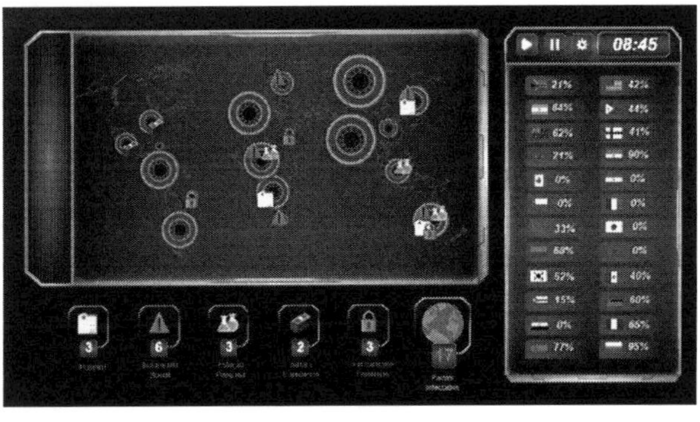

Figura 12.16: Painel interativo do Pandemia, mostrando dezessete países infectados e com algumas medidas de contenção instaladas em algumas localidades.
Fonte: O autor.

A atividade não é indicada para uma aula milimetricamente planejada e controlada como em uma aula com seis estações de aprendizagem. O uso do Pandemia é indicado para aulas com atividades/propostas com mais de uma resposta possível. Flerta com propostas de atividades mais abertas, que demandam dos estudantes mais envolvimento e busca por respostas distintas para uma mesma questão. Por exemplo, quais medidas que um país poderia tomar para reduzir a emissão de gases poluentes? Cite exemplos de obras de infraestrutura básica de uma cidade ou, ainda, pesquise sobre doenças causadas pelo excesso de incidência solar. O número de resposta não é limitado, é diferente de perguntas mais exatas, analíticas e convergentes. Quanto mais pró-atividade dos alunos para buscar e propor novas medidas, mais chance de sucesso ela terá para controlar a pandemia. O Pandemia tem mecânicas interessantes para trabalhar com atividades mais divergentes, criativas e abertas, que implicam em uma busca incessante por contribuições e respostas diversas.

COMO ESCOLHER **qual Class Dash utilizar?**

Quando criei as aplicações gamificadas do Class Dash busquei contemplar o máximo possível do espectro competição-colaboração. Outro ponto que percebi, especialmente após a criação do Pandemia, é que há aplicações mais adequadas para atividades planejadas, em que o professor tem total controle sobre a aula ou em que os desafios têm uma estrutura analítica, convergente e que demandam respostas exatas para as perguntas, além de atividades mais abertas, em que o professor não tem controle sobre a aula, ou ainda que os desafios têm uma estrutura mais criativa, divergente e que aceitam diferentes respostas para uma mesma pergunta. Um exemplo de atividade convergente e analítica é perguntar para o aluno, por exemplo, qual é a capital da Argentina. Não há outra resposta senão Buenos Aires. Porém, se for perguntado nomes de cidades da Argentina, o número de respostas possíveis é variado e divergente. Do mesmo modo, podemos motivar os alunos a refletirem divergentemente sobre políticas públicas que auxiliem a reduzir a pobreza nas comunidades ou, então, argumentos baseados em evidências que defendam ou não o uso do agrotóxico. Por outro lado, podemos mobilizá-los em um desafio envolvendo uma equação de segundo grau em que se obtém uma resposta exata.

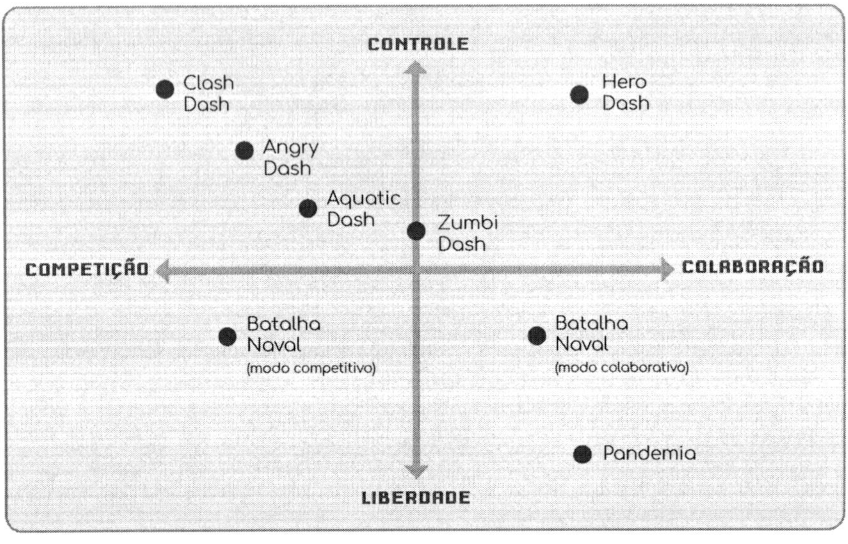

Figura 12.17 : Entende-se aqui "controle" como maior poder de controle sobre início, meio e fim da atividade. Por exemplo: o professor planeja seis atividades com respostas esperadas ou exatas para todas elas. E "liberdade" como atividades mais abertas, acolhendo tipos e número de respostas variadas.
Fonte: O autor.

Como destaquei anteriormente, devido ao cenário imprevisível e caótico do Pandemia, é difícil utilizá-lo em atividades altamente controladas, em que o professor sabe onde e quando termina. Da mesma forma, a Batalha Naval resguarda em suas mecânicas essa característica de imprevisibilidade, justamente porque você não sabe se o tiro será bem-sucedido ou não. Pensando no professor e nas suas necessidades, criei um gráfico que apresenta uma visão estruturada sobre a intensidade e o espectro competição-colaboração (eixo X, horizontal) e o espectro de controle-liberdade (eixo Y, vertical) de todas as aplicações do Class Dash. Esse gráfico tem por objetivo oferecer subsídio para o professor escolher com mais segurança qual e quando utilizar uma aplicação gamificada do Class Dash.

13 APRENDENDO A CRIAR **BADGES**, CARTAS E AVALIAÇÕES **GAMIFICADAS**

Na gamificação, os *badges* são utilizados como mecânica de feedback e sinalizam que o estudante detém algum domínio sobre uma habilidade. Aqui já vai uma dica importante: nunca diga que ele (o aluno) está ganhando um *badge*, uma medalha ou um distintivo. Essa é a linguagem técnica, mas lembre-se de que a maioria não tem ideia do que se trata, porque quando estão jogando *videogame*, eles não recebem distintivos, mas sim conquistas que são desbloqueadas.

É óbvio que manteremos esses termos pelos benefícios da rápida comunicação, porém, na minha experiência, dizer aos alunos que eles conquistaram algo é muito mais eficiente e motivador do que qualquer outra coisa.

Criar um bom sistema de conquistas *(badges)* é mais difícil do que parece. Mas antes de falarmos sobre isso, acredito que seja importante esclarecer o que pode não ser uma boa conquista. Quando comecei a gamificar minhas aulas, criei sistemas bem ruins e falhos de conquistas com os alunos. Por exemplo, entendi que as conquistas precisam ser adquiridas com um trabalho árduo, mais alinhadas com um padrão de comportamento do que com uma única ação específica. Não faz muito sentido sempre recompensar os alunos quando ele realiza uma atividade que vale nota, por exemplo. As conquistas podem não ter nada a ver com notas.

Outro problema comum é a conquista subjetiva, aquela recompensa mediante ao comportamento imensurável dos alunos. Todo mundo sabe que jogos precisam ser justos e regidos pelas mesmas regras. A gamificação se torna vulnerável e até falha se você criar um sistema injusto. Por exemplo, noto muitos professores oferecendo *badges* por coisas como ajudar o colega ou ser gentil. Mas como você mede esse tipo de comportamento? Já não consigo contar quantas vezes vi um professor oferecer um novo *badge* para o aluno que colaborou, e outros alunos se revoltam com a situação, simplesmente porque o professor não considerou que eles colaboraram tanto quanto o outro. Os alunos não entendem o que é e o que não é colaborar. Fica confuso e acabamos abrindo espaço para acharem que o sistema não está sendo justo, logo a gamificação falha e não alcança o resultado desejável. Caso você queira trabalhar com esse tipo de recompensa, sugiro utilizar uma rubrica que descreva as ações e explique o que é colaborar, por exemplo. É importante deixar as regras bem claras para os alunos. Tome cuidado com o excesso de subjetividade da sua parte na hora de atribuir as conquistas para evitar que os alunos se voltem contra você e seus critérios de avaliação. A minha dica é a seguinte: se você não pode medir, evite transformar a ação em uma conquista propriamente dita.

Mas então, o que seria uma boa conquista? Conquistas precisam representar feitos e traços heroicos dos alunos. Devem ser realmente desejadas pelos estudantes por uma ação extraordinária realizada. Os feitos heroicos são aqueles em que os alunos utilizam suas habilidades de maneira significativa. Por exemplo, obter uma boa nota é uma recompensa por si só. No entanto, repetir esse feito três vezes é um feito heroico. Sinaliza um esforço consistente. Então, faz mais sentido entregar um *badge* para aquele aluno que tirar uma boa nota nas últimas três missões. Veja, nesse caso, você pode ter um *badge* de consistência heroica, mas ele pode ter níveis diferentes (diferenciado por cores, por exemplo) para sinalizar o feito heroico A ou B.

Poucos devem discordar de mim quando o assunto é o atraso. É muito irritante perceber que os alunos fizeram um trabalho de última hora. É muito ruim, inclusive, ficar ouvindo desculpas, muitas delas esfarrapadas, e aceitar a entrega de um trabalho fora do prazo estabelecido. Nesse caso, você pode usar uma conquista para minimizar ou até eliminar esse inconveniente. Imagine uma conquista específica em que o aluno ganhe quando entrega o trabalho 48 ou 24 horas antes do prazo. Veja, isso é um ato heroico e é muito fácil gerenciar esse tipo de recompensa. Você checa somente o horário e compara com o prazo combinado. Dessa forma, não tem como o aluno reclamar. Seguindo esse mesmo raciocínio, você pode motivar os alunos a comparecerem mais em sua aula ou então que eles cheguem no horário.

Além do aspecto objetivo, boas recompensas precisam ser coerentes e associadas ao contexto trabalhado. Por exemplo, não faz sentido oferecer uma bala industrializada em um processo de gamificação envolvendo o estudo da idade medieval. Muito melhor seria oferecer aos alunos um papel recortado no formato de medalha (*badge*) com uma imagem estampada de um guerreiro, um alquimista ou uma arma de guerra típica da Idade Média. A coerência entre a recompensa e o contexto ativa a motivação intrínseca e motiva de forma muito mais contundente o jogador.

Deixa eu lhe oferecer um exemplo mais concreto sobre uma recompensa com significado e associada ao contexto correto. A neuropsicopedagoga Ana Lucia Hennemann e eu criamos uma plataforma de apoio à aprendizagem para crianças de cinco a dez anos.[1] Desenhamos diversos jogos sob medida para trabalhar habilidades específicas, especialmente aquelas relacionadas às funções executivas como memória, atenção, planejamento, flexibilidade cognitiva, dentre outras. A Plataforma Educacional Neurons (PEN) contém jogos e também uma camada de gamificação à medida que o professor ou profissional clínico pode atribuir uma conquista para a criança quando ela cumpre alguma atividade.

Os Neurons são monstrinhos extraterrestres que vieram parar na Terra. Quando aterrissaram, as criaturinhas perderam as Joias do Saber. Essas joias armazenam poderes e habilidades fundamentais, tanto para os Neurons como para os seres humanos. Há sete tipos de Joias: da memória, da atenção, do planejamento, da visão, da leitura, das habilidades gerais e da matemática. As crianças devem ajudar os Neurons a resgatarem as joias perdidas. Assim, toda vez que uma criança supera todas as fases e os desafios apresentados no *game*, conquista uma joia, diferenciada por cor e formato e representada dentro de uma carta com a imagem do Neuron que recebeu a ajuda no *game*, bem como com a descrição da habilidade trabalhada no jogo e conquistada pela criança. No caso da PEN, a coerência e o significado da recompensa (joia) é derivado da história, do propósito heroico que as crianças são convidadas a participar.

1. Para conhecer a plataforma, acesse: <http://clickneurons.com.br/>. Acesso em: 23 abr. 2020.

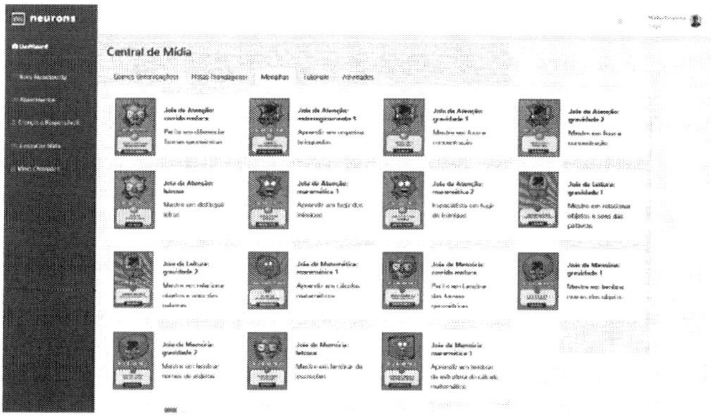

Figura 13.1: Painel de joias (*badges*) da Plataforma Educacional Neurons.
Fonte: O autor.

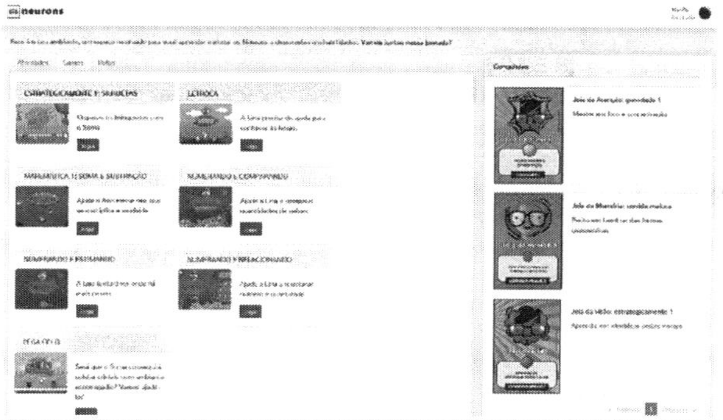

Figura 13.2: Ambiente do usuário em que a criança acessa jogos, atividades, avaliações de rastreio (sondagens) e visualiza as joias do saber conquistadas (*badges*).
Fonte: O autor.

CRIANDO ***BADGES***

Como já destacamos, um *badge* é um símbolo ou indicador de uma realização, habilidade, qualidade ou até interesse do estudante. Você pode fazê-lo no Power Point de forma simples utilizando basicamente o recurso de formas preenchidas por uma imagem e uma palavra, indicando o nome do *badge*. Se quiser algo mais profissional pode utilizar programas de edição de imagem como o Photoshop ou ainda programas de edição de vetores como CorelDRAW ou Ilustrator. No entanto, na internet há recursos interessantes para criá-lo, o que facilita bastante a nossa vida.

Uma ferramenta on-line interessante para criar *badges* é o Canva. De forma muito simples e rápida você pode criar lindos *badges*, exportá-los em PNG ou PDF, imprimi-los e recortá-los para distribui-los. No entanto, a ferramenta que, na minha opinião, é imbatível no que tange à criação de *badges* é o Online Badge Maker. O interessante é o aspecto profissional do *badge* criado com recursos de sombreamento e reflexo que são adicionados automaticamente a suas criações, gerando um *badge* com uma estética altamente atrativa para os alunos.

Os *badges* podem ser impressos e recortados em papel sulfite ou de maior gramatura. O recomendável é fazer a impressão em papel adesivo – para que o estudante possa colar suas conquistas em algum lugar, por exemplo, no caderno ou em uma cartela preparada por você. Minha experiência sugere que criar uma única cartela e distribuir para a turma é mais vantajoso por dois fatores: 1) menor taxa de perdas dos *badges* (acredite, isso é um problema muito comum); 2) os alunos valorizam mais coleções de selos juntos e organizados do que selos separados. Quanto mais bonito você fizer o seu *badge*, mais vontade ele terá de exibi-los. Uma possibilidade é distribuir duas cópias: uma para ser colado na cartela e outro para o aluno colar onde desejar. Essa última cópia de *badge* também pode ser entregue no formato de *botton* físico personalizado – os alunos adoram, mas a produção dos artefatos é mais cara.

É bom destacar também que os *badges* podem ser digitais e atribuídos em Ambientes Virtuais de Aprendizagem (AVA), sinalizando conquistas dentro das turmas.

PONTOS DE **experiência**

As conquistas são úteis para gerar *loops* de feedback eficazes para os estudantes, além de reproduzir a sensação de acúmulo e coleção. Uma coisa é fato: o *loop* de feedback é mais eficaz quanto mais rápido você entregar o *badge*. Não deixe o aluno esperar tanto pela conquista, pois quanto maior o intervalo de tempo, menos eficaz será o *loop* para motivá-lo. Por isso, sistemas digitais funcionam tão bem, porque a entrega é imediata.

Os *badges* precisam ganhar um significado para o estudante e isso pode ser feito de diferentes formas. Como já comentei sobre a plataforma educacional Neurons, as joias (*badges*) ganham significado diante de uma narrativa. Outra maneira é converter as conquistas em pontos de experiência (XP). Nos jogos eletrônicos, especialmente os de RPG, os personagens ganham XP para cada missão realizada. Os XPs fazem parte de um sistema de níveis do jogo. Subir de nível faz com que os jogadores fiquem mais fortes ou melhores naquilo que fazem. Nos jogos, há diversas maneiras de se conquistar esses pontos, entre elas: vencer lutas, ganhar missões, utilizar uma habilidade/arma ou algum item.

Na sala de aula, os pontos de experiência devem ser utilizados para: 1) classificar o sujeito em um ranking ou em um sistema de nível criado por você que pode ser tanto individual quanto coletivo (tribos, guildas etc.); 2) os XPs podem atuar ou então serem convertidos em moedas, que os alunos podem gastar comprando itens em uma loja. Observe aqui que agora introduzimos uma camada muito utilizada em sistemas gamificados e nos próprios jogos eletrônicos: a economia do jogo.

PLANILHAS ELETRÔNICAS E O **monitoramento da gamificação**

Mas antes de detalharmos o aspecto econômico dos processos de gamificação, vamos falar de algo que emerge a partir da implantação da economia: o monitoramento. Repare, quanto mais camadas adicionamos ao nosso sistema gamificado, mais complexo ele fica. É comum o professor utilizar um diário para fazer anotações e acompanhar a evolução dos estudantes em sala. Na gamificação, isso não vai ser diferente, porém você precisa de uma estrutura mais analítica e que conecte mais dados. Nesse sentido, é inevitável recorrermos às famosas planilhas eletrônicas. É claro que você pode monitorar a atividade gamificada com auxílio de papel e caneta também, mas essa escolha analógica não me parece muito inteligente. Considerando um sistema progressivo de níveis e variações da quantidade de XP, você pode ficar bastante irritado com o número de vezes que terá que rasurar o papel ou criar uma nova versão do mesmo documento.

As planilhas eletrônicas acabam com essa dor de cabeça e permitem você trabalhar com os dados de forma dinâmica. No meu curso de gamificação descomplicada para educadores,[2] uso em to-

2. Curso on-line. Disponível em: <tiagoeugenio.com.br/curso-on-line>. Acesso em: 24 abr. 2020.

das as ferramentas o Google Drive – para mim, o melhor recurso que pode ser utilizado por qualquer pessoa que tiver uma conta de e-mail do Google.

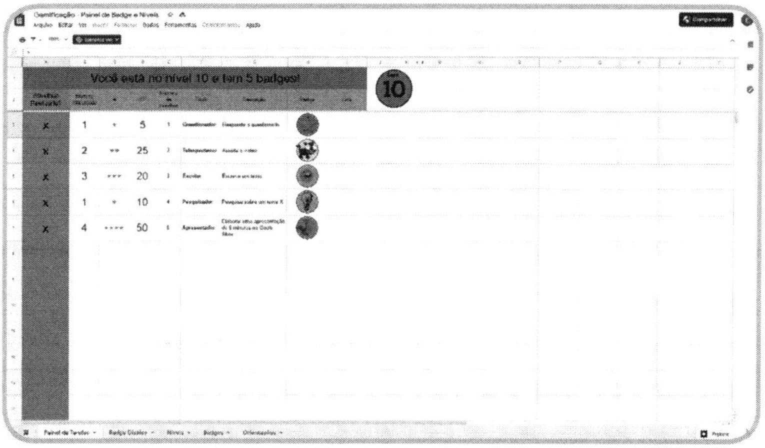

Figura 13.3: Planilha do Google Drive para controlar níveis e distribuição de *badges* para os alunos.
Fonte: O autor.

Compreendi os benefícios de utilizar as planilhas do Google depois que fiz um workshop com Alice Keeler, Google Certified Innovator.[3] No site de Keeler há diversos *templates* gratuitos que podem ser baixados, dentre eles um que traduzi para o português e compartilho com você aqui.

Esse *template* básico[4] permite que você monitore se determinada atividade foi feita ou não pelo aluno, grupo ou turma inteira. Você pode atribuir rapidamente o número de XP que vale determinada tarefa ou conquista de um *badge*. Além disso, o nome do *badge* e da descrição podem ser editados rapidamente. O *template*

3. Teacher Teach with Alice Keeler. Disponível em: <https://alicekeeler.com/>. Acesso em: 24 abr. 2020.

4. Para acessar o *template*, acesse: <https://bit.ly/badgelisttiagoeugenio>. Acesso em: 24 abr. 2020.

tem cinco abas diferentes. Na primeira, você pode configurar as conquistas, enquanto na segunda o aluno poderá visualizar todos os *badges* conquistados. Na aba "níveis" você pode criar o seu *game design* – aqui que está o coração da sua gamificação. Na primeira coluna você deve definir os valores mínimos para a conquista de determinado *badge*. Esse valor será, digamos, a nota de corte para os níveis e o sistema de progressão da sua gamificação.

Em cada linha você deve colar o endereço que está hospedado o seu *badge*. No *template* da Keeler, todos os *badges* estão hospedados no Google Drawing. Nada impede você de utilizar outras imagens, copiando a URL de algum banco de imagens ou mesmo do Google Imagens. Na quarta aba "*badges*", você encontra uma biblioteca bastante ampla de imagens de *badges* que pode utilizar em processo de gamificação. Por fim, na última aba "orientações" você encontrará todas as informações necessárias para usar e adaptar o *template* conforme suas necessidades. O *template* da Keeler é um ótimo recurso para você começar a gamificar suas aulas e também entender como a gamificação tem muito mais a ver com monitoramento, performance e dados do que puro divertimento, modismo e entretenimento.

MOEDAS, LOJAS E ITENS: **a microeconomia da gamificação**

Os pontos podem ser convertidos em moedas e estas podem ser convertidas em itens, equipamentos e uma série de benefícios adquiridos em uma loja. Nos jogos eletrônicos, os jogadores compram itens para se tornarem mais poderosos, com novas armas e armaduras, habilidades sensoriais e poderes mágicos.

Ao criar uma loja, você adiciona uma nova dimensão envolvendo economia e também diversão, o que agrada muito os alunos. A loja potencializa o sistema de recompensa, dando também a oportunidade de o próprio aluno escolher e gerenciar sua recompensa. A loja se conecta também com as plataformas móveis do *Level Design* de Aprendizagem, discutido no capítulo 5. Veja, nós, professores, geralmente criamos sistemas de recompensa. Por exemplo, o aluno que obtiver uma nota mínima de 7 não realizará a prova final. Essa é uma forma de recompensar o aluno pela nota obtida. Mas nós perdemos a oportunidade para motivar melhor nossos alunos usando mecânicas mais versáteis encontradas nos jogos que vão além das recompensas mais tangíveis como as "materiais" destacadas por Gabe Zichermann no modelo SAMP, também discutido no capítulo 5.

Badges e ranking motivam o aluno por meio do "S" de *Status*. A loja permite trabalhar de forma muito mais simples e divertida com as outras letrinhas como o Acesso, o Poder e também, porque não, as recompensas Materiais. A criação de um banco de itens torna tudo isso possível e, acredite, os alunos enxergam mais propósito na conquista de pontos de experiências e moedas, cumprindo com mais assiduidade e motivação seus propósitos pedagógicos.

A gestão de itens pode ser feita de muitas formas. Por exemplo, determinado item somente poderá ser adquirido no nível X, os itens podem variar o preço conforme você sentir o nível de energia da sala – assim como varia o preço do dólar diariamente. Você, como professor e *game master* da gamificação, pode fazer promoções, gerando muito mais motivação, diversão e curiosidade dos estudantes.

CARTAS

Pressuponho que quando falo em item pode ficar um tanto quanto vago. Afinal, como eles são representados? Na minha opinião, a forma mais fácil de gerenciá-los é por meio de cartas. Os alunos reconhecem facilmente as cartas como itens pela sua vivência tanto em jogos digitais como analógicos. Então, a minha dica é a seguinte: crie um *slide* ou um conjunto deles exibindo todos os itens disponíveis na jornada gamificada. Esse *slide* seria o mesmo que a vitrine da sua loja. Você pode criar isso no próprio Power Point ou, ainda, no Apresentações Google e compartilhar o link do arquivo com os alunos para que eles possam visualizar sempre que desejarem. Cada item deve ter um preço e é interessante que tenham um nome, uma imagem e um descritivo sobre o seu uso. Há muitas regras que você pode inserir e benefícios de uso, tudo depende da sua criatividade. Mas quero mostrar aqui alguns caminhos para você produzir suas próprias cartas. Da mesma forma que os *badges*, as cartas podem ser criadas em qualquer *software* de edição de imagem, editor de texto como Word ou até mesmo no Paint. E assim como ocorre em relação aos *badges*, há vários recursos on-line que podem o auxiliar a criar suas cartas de modo rápido e descomplicado. Veja algumas sugestões a seguir.

1 - Class Royale Card Maker

Essa ferramenta on-line permite criar imagens de cartas com um design igual ao famoso jogo de celular Clash Royale. Adicione a imagem que desejar e crie uma descrição para seu item.
Link: https://clashroyalecardmaker.com/

2 - Yu-Gi-Oh!

Crie cartas totalmente inspiradas em uma das sagas de maior sucesso entre as crianças e os adolescentes.
Link: https://www.cardmaker.net/yugioh/

3 - Pokémon

Difícil achar alguém que nunca tenha ouvido falar desses monstrinhos. Você pode criar diversas cartas com o auxílio deste recurso on-line.
Link 1: https://www.pokecard.net/
Link 2: http://pokemoncardapp.com/

4 - Hearthstone

Recurso que permite criar cartas com um design muito bonito e adicionar uma série de ícones prontos para deixar suas cartas de itens imbatíveis.
Link: http://www.hearthcards.net/

5 - DriveThrucards

Recurso que permite criar vários tipos de cartas com diversas imagens e ícones, o que as tornam bem atrativas.
Link: https://www.drivethrucards.com/builder/pathfinder

AVALIAÇÃO GAMIFICADA
no Power Point

As avaliações também podem ser gamificadas, de forma bem simples e rápida usando até o PowerPoint. Criar esse tipo de avaliação foi uma das minhas primeiras ações gamificadas em sala de aula. O *template* que compartilho neste capítulo foi criado em 2008, até mesmo antes da palavra gamificação viralizar.[5] Nesse ano, nem eu sabia sobre a existência desse conceito. Na época, ministrava aulas de biologia em um cursinho na cidade de Natal, no estado do Rio Grande do Norte. Lembro que a sala era enorme e lotada de alunos. O cursinho solicitava que os professores fizessem regularmente pequenos simulados com o intuito de checar o conhecimento adquirido em determinada unidade. Os simulados que os alunos realizavam eram iguais aos tradicionais, em papel. Eu tinha que providenciar mais de setenta cópias de provas com várias folhas e distribuir um calhamaço de laudas grampeadas para toda a sala. A primeira vez que fiz isso lembro que demorei uns quinze minutos só para organizar todo o material e distribuí-lo. Aquela etapa se encerrava e eu já estava cansado de lidar com tantas folhas. Mas o pior estava por vir: carregar aquele calhamaço para minha casa e corrigir. Muito tempo folheando, corrigindo e tabulando as notas de todos os alunos. Quem é professor sabe muito bem como essa etapa de correção é desgastante e toma um tempo absurdo das nossas vidas. Queria diminuir todo aquele ruído.

Foi então que resolvi mudar a experiência dos alunos no simulado. Utilizei a ferramenta que estava ao meu alcance na época,

5. Para acessar o *template*, acesse: <https://bit.ly/avaliacaogamificada>. Acesso em: 24 abr. 2020.

o PowerPoint, e comecei a desenhar um *template* automatizado que, no início, explicava as regras do simulado. Em seguida, exibia a pergunta na tela e uma barra de tempo regressivo sinalizava o tempo que restava para o aluno responder àquela questão. Esgotando o tempo, o *slide* passava automaticamente, para a alegria de alguns e tristeza de outros. Se antes entregava cerca de seis páginas para os alunos, nesse novo formato entregava apenas uma página, a folha de resposta. Todos iniciavam e finalizavam aquele simulado ao mesmo tempo, sem grandes ruídos. Cola? Eu pelo menos não observava nenhum movimento nesse sentido. Simplesmente não dava tempo para fazer isso. Os alunos ficavam vidrados nas bolinhas que iam desaparecendo. O índice de alunos também cabisbaixo ou até ensaiando uma soneca durante o simulado caiu para zero. Todos ficavam de espreita, muito atentos à passagem automática dos *slides*. É claro que quando o *slide* mudava, caras e bocas surgiam, mas elas estavam mais associadas à adrenalina do desafio regido pelo tempo do que pelo tédio.

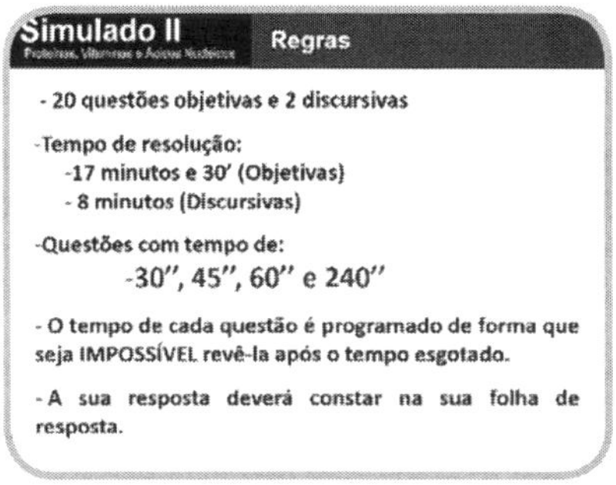

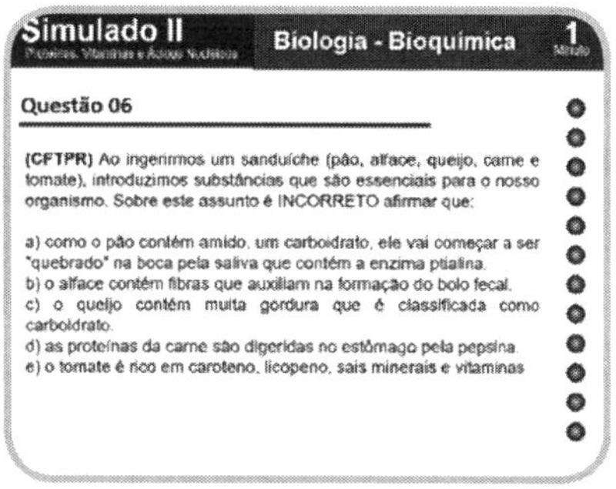

Figura 13.4: *Slides* do simulado gamificado. Na imagem à esquerda, a apresentação das regras gerais. Na imagem à direita, a apresentação de um modelo de questão visualizada pelos alunos.
Fonte: O autor.

Gamificar meu simulado também mudou a percepção de muitos estudantes. Se antes a tarefa era enfadonha, eles passaram a encarar como um desafio mais sério. O processo de correção tinha ficado mais rápido – corrigia praticamente tudo no mesmo dia e logo já divulgava a nota. O que quero dizer também é que a gamificação do simulado não entregou apenas valor para os alunos, mudando sua experiência em sala de aula, mas também entregou valor à minha experiência como professor – diminuindo a carga de trabalho para corrigir os simulados e o peso de material que deveria imprimir e carregar da escola para a casa. A gamificação também diminuiu o tempo geral destinado ao momento do simulado. Em pouco mais de vinte minutos todos os alunos faziam a checagem de conteúdo. O processo ficou muito menos extenso e cansativo.

E você ainda acredita que gamificação é apenas transformar tarefas chatas em divertidas? Perseverar nessa crença é subestimar o real poder transformador da gamificação.

PALAVRAS FINAIS

Finalizo a escrita deste livro em um momento histórico, diante de uma pandemia que promete mudar a maneira como vivemos, nos relacionamos, aprendemos e ensinamos. A historiadora e antropóloga Lilia Schwarcz, professora da Universidade de São Paulo e de Princeton, nos Estados Unidos, afirma que a COVID-19 marca definitivamente o fim do século XX.[1] Para alguns autores, o coronavírus é um acelerador de futuros. De fato, a tão falada educação on-line ou híbrida foi instalada de forma emergencial e obrigatória para assegurar a continuidade dos processos educacionais nesse período.

No "novo normal", certamente, escolas terão que repensar seus espaços, suas práticas e abraçar cada vez mais o modelo híbrido de ensino. Acontece que nada disso vai funcionar sem o uso de estratégias de engajamento e um contexto prazeroso para que o aluno se conecte com o professor, seus pares e, especialmente, com o conteúdo. Não tenho dúvidas de que a gamificação é a estratégia mais essencial nesse novo cenário. Certamente, haverá uma explosão de novos conteúdos, plataformas e produtos digitais interativos e gamificados nos próximos anos para atender a essa necessidade.

1. Disponível em: <https://www.youtube.com/watch?v=dXHnwrT9asg>. Acesso em: 22 jun. 2020.

Ouso dizer que a pedagogia nunca precisou tanto de noções de *game design* e dos elementos de jogos para capturar a atenção do aluno como agora. A aula tradicional está literalmente em jogo ou em xeque – não apenas por sua ineficácia quanto à retenção de informação, mas também por seu formato inadequado e pobre em construção e manutenção da audiência.

O ritmo de transformação de uma aula em jogo será, assim, paulatinamente mais veloz e necessário. Se você chegou até aqui, provavelmente está habilitado para participar mais ativamente dessa mudança. A leitura de *Aula em jogo* é o pontapé inicial da transformação que você pode realizar em sua sala de aula, mudando a forma como lida com o conteúdo, distribui, mobiliza habilidades e impacta a aprendizagem de seus alunos. Para os já conhecedores do tema, estou seguro de que seu repertório foi ampliado e novas ideias foram ativadas em sua mente.

No início do livro, escrevi que você deveria olhar esta obra como uma passagem e que me enxergasse como um porteiro que apresentaria um lugar com diversas salas: um castelo de oportunidades.

Agora me imagine como um coelho branco que passa em sua frente com um relógio dizendo: "Ai, Ai, Ai... vou chegar atrasado demais". Entro em uma toca[2] e você tem a oportunidade de seguir-me e descobrir um novo mundo. Sim, leitor, esse é um convite para você dar o próximo passo: utilizar todo o repertório aprendido aqui e mergulhar de cabeça na experimentação, na descoberta mágica e deliciosa de ser um educador no país da gamificação.

E corra, viu, pois se você demorar, poderá chegar atrasado demais!

2. Endereço da toca. Disponível em <instagram.com/aulaemjogo>. Acesso em: 22 jun. 2020.